सत्ता के सामने

सत्ता के सामने

मुकेश भारद्वाज

वाणी प्रकाशन

वाणी प्रकाशन

4695, 21-ए, दरियागंज, नयी दिल्ली 110 002

फ़ोन : +91 11 23273167 फ़ैक्स : +91 11 23275710

शाखाएँ

अशोक राजपथ, पटना 800 004, बिहार

कॉफ़ी हाउस कैम्पस, महात्मा गांधी मार्ग, इलाहाबाद 211 001, उत्तर प्रदेश

महात्मा गांधी अन्तरराष्ट्रीय हिन्दी विश्वविद्यालय, वर्धा 442 001, महाराष्ट्र

सुल्तानिया रोड, मोतिया पार्क, भोपाल 462 001, मध्य प्रदेश

www.vaniprakashan.com
marketing@vaniprakashan.in
sales@vaniprakashan.in

SATTA KE SAMNE
by Mukesh Bhardwaj

ISBN : 978-93-89563-96-2
Politics/Journalism

प्रथम संस्करण 2020

मूल्य : ₹ 495

सिटी प्रेस, दिल्ली-110 095 में मुद्रित

वाणी प्रकाशन का लोगो मक़बूल फ़िदा हुसेन की कूची से

मम्मी पापाजी के लिए

अनुक्रम

बीते साल के चुनावी नतीजों के बाद नये साल में 2019 का एजेंडा तय कर दिया गया है। जनता के सामने उस महागठबन्धन को रख दिया गया है जो नीतियों के आधार पर अभी तक एकजुट नहीं है। आज़ादी के बाद हुए चुनावों में कांग्रेस के बाद सबसे ज्यादा सीटें पाने वाला और केरल में पहली गैर–कांग्रेसी सरकार बनाने वाला वाम दल अस्तित्व के संकट से जूझ रहा है। वह वाम मोर्चा ही था जो गैर–भाजपा और गैर–कांग्रेसी शक्तियों को नीति के स्तर पर मंच साझा करवा सकता था, लेकिन 2014 के चुनावों के बाद वाम मोर्चे के पास इतना संख्या बल भी नहीं रह गया कि वह क्षेत्रीय ताकतों को एकजुट कर सके। तीसरा मोर्चा तो तब भी नहीं बना था जब वाम के दखल से यूपीए सरकार ने न्यूनतम साझा कार्यक्रम बनाया था। अब जब वाम शक्तिहीन है तो बहुप्रचारित गठबन्धन की शक्ल क्या होगी, नीतियों पर बात हो भी पायेगी या नहीं, इसी की पड़ताल करता बेबाक बोल।

वाम और अवाम

छत्तीसगढ़ में हार हुई लेकिन बाक़ी दोनों राज्यों में किसी को बहुमत हासिल नहीं हुआ...पन्द्रह साल की एंटी इनकंबैसी थी। हम लोग आपस में बात कर रहे कि कहाँ कमी रह गयी...

यह जनता बनाम गठबन्धन होने वाला है।

नये साल के पहले दिन 2019 का चुनावी एजेंडा तय कर दिया गया। इसके साथ ही बहुप्रचारित और अभी तक आभासी महागठबन्धन को जनता के सामने खड़ा कर दिया गया है। अब इनके सामने चुनौती है कि ये बतायें कि नीति के स्तर पर आप कितने अलग हैं।

पिछले हफ़्ते इसी कॉलम में हमने भारतीय राजनीति में एक बदली हुई अवधारणा का ज़िक्र किया था। आज़ादी के बाद क्षेत्रीय दलों के उभार के पीछे एक अहम अवधारणा थी ग़ैर–कांग्रेसवाद। वह चाहे जेपी आन्दोलन से निकले नेता हों या फिर तमिलनाडु और पश्चिम बंगाल की सरकार। 1967 में हुए आम चुनावों ने सही मायनों में सत्ता का विकेन्द्रीकरण किया था। देश के लगभग आधे भू–भाग पर ग़ैर–कांग्रेसी दल राज्यों की सत्ता की अगुआई कर रहे थे। उसके बाद से मनमोहन सिंह की सरकार तक क्षेत्रीय दलों की कांग्रेस से दूरी बनती जा रही थी, लेकिन पिछले साल दिसम्बर में आये तीन राज्यों के चुनाव नतीजों ने हालात बदल दिये। आज क्षेत्रीय दलों को अपने अस्तित्व के लिए भाजपा एक बड़ा ख़तरा लग रही है और वे कांग्रेस के हाथ मज़बूत देखना चाहते हैं।

गठबन्धन की राजनीति में यूपीए से लेकर एनडीए तक के गठन के सफ़र पर नज़र डालेंगे तो आज एकदम उलटी स्थिति पायेंगे। यूपीए–2 में मनमोहन सिंह की सरकार के समय क्षेत्रीय दल कांग्रेस से छिटककर

दूर जा रहे थे। मनमोहन सिंह सरकार के ख़िलाफ़ एनडीए बना। आज हालात ये हैं कि एनडीए के घटक दलों को अपनी आवाज़ घुटती नज़र आ रही है।

हाल के दिनों में कर्नाटक से आवाज़ आयी कि आठ दिनों में सरकार बदल जायेगी। विधायक की बातें भी सामने आयीं कि किस तरह से सरकार गिराने की कोशिश हो रही है। अब ज़रा याद करें कि यहाँ जद (सेकु) और कांग्रेस गठबन्धन की सरकार बनी कैसे थी। पूर्ण बहुमत नहीं मिलने के बावजूद भाजपा के मुख्यमन्त्री ने शपथ ले तो ली, लेकिन उन्हें इस्तीफ़ा देकर रुँधे गले से विधानसभा के बाहर जाना पड़ा। ज़्यादातर क्षेत्रीय क्षत्रप इसी गुणा–भाग की राजनीति ही कर रहे हैं।

भाजपा और कांग्रेस की शक्तियों के इस उलटफेर के दौर में क्षेत्रीय शक्तियों को बस एक सुरक्षित छतरी की तलाश है। पिछले आम चुनाव 2014 के नतीजों और उसके बाद बने हालात को देख राजनीति के ज़मीनी जानकारों को इतना तो समझ आ गया था कि फ़िलहाल तीसरे मोर्चे जैसी कोई चीज़ बनती नज़र नहीं आ रही है।

कांग्रेस के ख़िलाफ़ बने माहौल में भाजपा बड़ी ताक़त बनकर उभरी और अब कांग्रेस अपनी खोयी हुई ताक़त बटोरने में लगी है। मज़बूत और कमज़ोर के खेल में आज का बड़ा सच यह है कि चुनावी मैदान में ये दोनों बड़ी ताक़तें हैं। इन दोनों से कुछ अलग हो सकता है तो नीति। इस नीति पर एक प्रयोग हुआ था यूपीए–1 में। उस समय एक न्यूनतम साझा कार्यक्रम भी बना था। ध्यान रखें कि वहाँ भी तीसरा मोर्चा नहीं बना था, सिर्फ़ साझा कार्यक्रम ही सामने आया था, नीतियों के स्तर पर।

आज की तारीख़ में भाजपा और कांग्रेस दोनों ताक़तों का अपना वजूद है। भाजपा और उसके अगुआ तो पूरे दमखम के साथ हैं ही, वहीं अब राहुल गाँधी को सार्वजनिक मंच पर कोई चाहकर भी पप्पू नहीं बोल सकता है। ऐसी हालत में वैसी किसी नीति के आधार पर तो तीसरा मोर्चा बनने की उम्मीद कहीं से भी नहीं दिख रही है जिसकी चुनौती प्रधानमन्त्री दे चुके हैं।

अब इस माहौल में क्षेत्रीय पार्टियों का कांग्रेस या भाजपा से मेल एक ही आधार पर हो रहा है और वह है हिस्सेदारी। कुछ पहचान के चिह्नों को छोड़ दें तो नीति के आधार पर उनका कांग्रेस या भाजपा से

गहरा अन्तर नहीं है। अब यह हिस्सेदारी नीति नहीं संख्या के आधार पर बढ़ेगी। ज़्यादातर क्षेत्रीय पार्टियों का मुख्य मक़सद येन–केन–प्रकारेण अपनी सीटों की संख्या बढ़ाना है।

कांग्रेस और भाजपा के बरअक्स एक वाम मोर्चा ही था जो नीतियों के स्तर पर क्षेत्रीय दलों या इन दोनों केन्द्रीय दलों से समझौता करवा सकता था, लेकिन आज संख्या बल पर वाम का आधार ख़त्म हो चुका है। याद करें कि देश के पहले लोकसभा चुनाव में कांग्रेस के बाद सबसे ज़्यादा सीटें सीपीआई को मिली थीं। आज़ादी के बाद देश में पहली ग़ैर–कांग्रेसी सरकार भी 1957 में केरल में बनी थी, जिसे नेहरू की अगुआई वाली केन्द्रीय सरकार ने बर्ख़ास्त कर दिया था। 2004 के चुनाव के बाद ऐसा भी वक़्त आया कि लोकसभा की 53 सीटों पर वाम दलों के प्रतिनिधि बैठे थे। यह वह वक़्त था जब मनरेगा जैसी योजना आयी जिसे राजग भी ख़ारिज नहीं कर सका।

लेकिन 2014 का आम चुनाव वह मोड़ था जिसने भारतीय राजनीति में वाम मोर्चे का सूपड़ा साफ़ कर दिया। इस चुनाव के बाद सिर्फ़ 10 सदस्यों के साथ वाम मोर्चे ने नीतिपरक मोर्चे पर अगुआई की अपनी शक्ति खो दी। पश्चिम बंगाल तो आज ममता बनर्जी का गढ़ है और बस अब सिर्फ़ केरल में उसका अस्तित्व बचा है। कहीं भाजपा, तो कहीं कांग्रेस मज़बूत के गणित के बीच आज संसदीय संख्या बल के आधार पर वाम ख़त्म है। क्षेत्रीय दलों का भविष्य यही है कि जो जितनी सीटें बढ़वा सकेगा उसी का अस्तित्व बचा रहेगा।

माकपा पोलित ब्यूरो के सदस्य हन्नान मुल्ला ने हाल ही में बयान दिया 'इस तथ्य से इनकार नहीं है कि संसदीय राजनीति में संख्या एक महत्त्वपूर्ण कारक है। संसद में अभी हमारे पास जो ताक़त है, हमारे लिए वह भूमिका निभाना सम्भव नहीं है। विभिन्न क्षेत्रीय दल अब वह करने का प्रयास कर रहे हैं। राष्ट्रीय राजनीति में समाजवादी पार्टी हमेशा वाम दलों की भरोसेमन्द सहयोगी रही है। अतीत में कई मौक़ों पर वाम ने विपक्षी ताक़तों को एकजुट करने में प्रमुख भूमिका निभायी, लेकिन मौजूदा स्थिति में ऐसा करने के लिए संख्या बल नहीं है।' इसी समय सपा उपाध्यक्ष किरणमय नन्दा बयान देते हैं, 'अब वाम दलों की भूमिका महत्त्वहीन और अप्रासंगिक है।'

केन्द्रीय बलों में वाम की अनुपस्थिति के बाद अभी तो यही दिख रहा है कि 2019 में नीति के आधार पर कोई मोर्चा नहीं बनेगा। मौजूद सत्ता पक्ष ने जनता के सामने उस महागठबन्धन को रख दिया है जो अभी तक बना ही नहीं है। लेकिन यह चुनौती तो सामने आ ही गयी है कि विपक्ष के नाम पर साझा मंच पर आते ही आपको बताना होगा कि सिर्फ़ संख्या बढ़ाने की महत्त्वाकांक्षा के अलावा आपकी नीति क्या है? एक साथ हाथ उठाये नेताओं को जनता को बताना ही होगा कि सीटों की घटत–बढ़त के अलावा आप ऐसा क्या देंगे जो अभी वाले नहीं दे रहे हैं।

साल की शुरुआत की इस चुनौती के बाद देखना यह है कि सामने वाले का क्या जवाब होगा। यह साल भारतीय राजनीति की पाठशाला में नया अध्याय जोड़ने वाला है इतनी उम्मीद तो हम राजनीति के विद्यार्थी कर ही सकते हैं।

5 जनवरी 2019

बिना किसी बड़े आन्दोलन, सड़कों पर विरोध प्रदर्शन के भारतीय संसद ने सामान्य वर्ग के लोगों के लिए आर्थिक आधार पर दस फ़ीसद आरक्षण के क़ानून को पास कर दिया। इस ऐतिहासिक फ़ैसले का ठीकरा फोड़ा गया तीन राज्यों में भाजपा की हार पर, लेकिन राजद और दक्षिण भारत के कुछ दल छोड़ सभी इस फ़ैसले के साथ खड़े हुए। वह कांग्रेस भी साथ थी, जिसे हिन्दी के तीन हृदय प्रदेशों में जीत मिली थी। माकपा जैसे वाम दल ने संसद में इस आरक्षण को वोट दे बाहर आकर बस अलग सा प्रेस नोट ही जारी किया। विरोध के दो ही बिन्दु एक तो ऐन लोकसभा चुनाव और शीतकालीन सत्र के अन्तिम समय में इसे लाने की अवधि और ग़रीबी के दायरे में आने वाली आठ लाख से कम सालाना आमदनी की सीमा है। आम चुनावों के पहले साल के दूसरे हफ़्ते का पाठ यही है कि रोज़गार का संकट सब समझ रहे और समाधान किसी के पास नहीं। समस्या और समाधान के बीच आरक्षण के मरहम पर बेबाक बोल।

आरक्षण का आधार

आर्थिक आधार पर दस फ़ीसद आरक्षण के ख़िलाफ़ सुप्रीम कोर्ट में अर्ज़ी लगा दी गयी है। ग़ैर–सरकारी संगठन 'यूथ फॉर इक्वलिटी' ने याचिका में इस विधेयक को निरस्त करने का अनुरोध करते हुए कहा है कि एकमात्र आर्थिक आधार पर आरक्षण नहीं दिया जा सकता और इस विधेयक से संविधान के बुनियादी ढाँचे का उल्लंघन होता है क्योंकि सिर्फ़ सामान्य वर्ग तक ही आर्थिक आधार पर आरक्षण सीमित नहीं किया जा सकता है और 50 फ़ीसद आरक्षण की सीमा लाँघी नहीं जा सकती। जातिगत आरक्षण के विरोध की बुनियाद पर बना यह समूह आज उस ऐतिहासिक प्रस्ताव के ख़िलाफ़ सुप्रीम अदालत में है जिसमें लगभग सारे दल एक हैं। औपनिवेशिक आज़ादी के बाद जवाहरलाल नेहरू के अर्द्धरात्रि वाले बच्चे आज फिर एकजुट हैं। आर्थिक आधार पर आरक्षण को लेकर भाजपा, कांग्रेस, बसपा, सपा सब इसे सबका साथ और सबका विकास मान रहे हैं। राज्यसभा ने 124वें संविधान संशोधन विधेयक को सात के मुक़ाबले 165 मतों से पारित किया, जिसे लोकसभा पहले ही पारित कर चुकी थी।

तुरुप का पत्ता, मास्टर स्ट्रोक शायद इसी को कहते हैं कि वाम दलों ने भी राजग सरकार के इस फ़ैसले के ख़िलाफ़ शान्ति से समर्पण कर अपना ग़ुस्सा प्रेस नोट में जारी कर दिया। माकपा नेता बृन्दा करात का एक बयान रहा है, 'लोकसभा और राज्यसभा की वास्तविक दूरी पाँच मिनट की भी नहीं है। लेकिन आठ साल लग गये, राज्यसभा में पारित हुआ महिला आरक्षण बिल लोकसभा नहीं पहुँच पाया है।' इसलिए आरक्षित कोटे से इतर सामान्य ग़रीब तबकों के लिए इस आरक्षण के प्रस्ताव को लोकसभा और राज्यसभा में इतनी आसानी से पारित होने को

भारत के राजनीतिक इतिहास की सबसे बड़ी घटना क़रार देने में कोई अतिशयोक्ति नहीं है।

सारे दलों को एक ही शिकायत है कि सरकार ने इतना बड़ा फ़ैसला अपने कार्यकाल के आख़िरी दिनों में क्यों किया। या, यह संघ के आरक्षण प्रणाली के एजेंडे की शुरुआत हो गयी है। इसके अलावा किसी का भी इससे कोई वैचारिक मतभेद नहीं है। अगर, यह संघ के वैचारिक एजेंडे की शुरुआत है तो फिर माकपा और अन्य वाम दलों के वोट इसके साथ क्यों हैं?

आलोचना की जद में यही है कि अब सरकारी परिभाषा के अनुसार आठ लाख से कम सालाना आमदनी और एक हज़ार वर्गफुट से कम मकान, पाँच एकड़ से कम ज़मीन और अन्य शर्तों वाला व्यक्ति आर्थिक रूप से कमज़ोर के दायरे में आयेगा। और दूसरा सन्दर्भ है आम चुनावों से पहले जल्दबाज़ी का। तीसरा सन्दर्भ है कि अगर नौवीं अनुसूची में डाला होता तो, ख़ैर उसके लिए तो अदालत में याचिका पहुँच ही गयी है। बाक़ी सब राजी–ख़ुशी इसमें शामिल हैं तो इससे ज़्यादा ऐतिहासिक क्या हो सकता था। चुनावों के पहले तुरुप का पत्ता चलने का चलन नया नहीं है। राजीव गाँधी से लेकर वीपी सिंह तक ने यह किया था। सवाल है कि इस पत्ते को निकालने की ज़रूरत क्यों महसूस हुई।

दलित उत्पीड़न क़ानून को संशोधित करने की अदालती पहल तभी होती है। यह वह समय था जब नौकरियों पर वर्तमान रोस्टर व्यवस्था को सरकार लागू नहीं करवा पा रही थी और स्थायी नियुक्ति का ढाँचा ख़त्म करने की कवायद को हर तरफ़ से क़बूल है, क़बूल है करवाया जा रहा था। इसके पहले बिहार चुनाव का सन्दर्भ देखिए। 2014 के बाद का विजय रथ रुकते देख वहाँ जातिगत आरक्षण पर सवाल उठा दिये गये थे। इन सभी सन्दर्भों को जोड़कर पिछले साल अप्रैल में भारत बन्द की अपील होती है। बिना किसी राजनीतिक अगुआई के उत्तर प्रदेश से लेकर मध्य प्रदेश व छत्तीसगढ़ तक में इतने बड़े पैमाने पर विरोध होता है जो किसी ने सोचा भी नहीं था। यह विरोध आमने–सामने के संघर्ष में तब्दील होकर हिंसक भी हुआ। इस स्थिति के बाद सरकार अदालती फ़ैसले के ख़िलाफ़ अधिसूचना लाती है। इस अधिसूचना के आते ही वह परम्परागत सवर्ण वोटर भाजपा के ख़िलाफ़ खड़ा हो गया, जो अब तक उसकी धुरी थी। सवर्णों ने भाजपा की अगुआई वाली केन्द्र सरकार पर

तुष्टीकरण का आरोप लगाया कि अब आप कांग्रेस से अलग कैसे हैं। चुनावी जानकारों का दावा है कि सवर्णों का यह ग़ुस्सा तीन राज्यों में भाजपा की सरकारों को ले डूबा।

तीन राज्यों में चुनाव के बाद के पाठ को भाजपा ने अच्छी तरह पढ़ लिया है। नोटबन्दी पर तो अब कुछ किया भी नहीं जा सकता, लेकिन जीएसटी और आरक्षण दो ऐसे क्षेत्र हैं जिन पर सुधारात्मक प्रक्रिया अपनायी गयी। जीएसटी भी एक ऐसा फ़ैसला था जिस पर अन्य दलों को सिर्फ़ जारी करने के तौर–तरीक़ों से ही दिक़्क़त थी, लेकिन भाजपा ज़मीनी सच को पहचान इस पर पाठ सुधार की पूरी कोशिश कर रही है।

तीन राज्यों में हार के बाद सुधार कैसे हो यह चिन्ता सरकार में साफ़–साफ़ दिख रही है। अर्थव्यवस्था में उदारवाद के समर्थक सुधारवादी मौजूदा सरकार की इस मुद्दे पर तो भरपूर तारीफ़ कर रहे हैं कि इसने उन नीतिगत कठोर फ़ैसलों को बेहिचक लागू किया जो कांग्रेस अपने कार्यकाल में लागू नहीं कर सकी थी। सरकार की ज़्यादातर योजनाओं पर कांग्रेसी नेताओं का यही बयान होता है कि यह तो हमारे दिमाग़ की उपज थी। आज जब केन्द्र सरकार यह ऐतिहासिक फ़ैसला पारित करवा चुकी है तो कांग्रेस, सपा और बसपा के पास हम साथ–साथ हैं कहने के अलावा कुछ नहीं बचता है। सपा और बसपा जैसे दलों के नेताओं के पास मौजूदा सरकार पर संविधान विरोधी होने के आरोप लगाने के विकल्प भी ख़त्म कर दिये गये हैं।

पाँच साल में तीन महीने कम की अवधि में हमने यह तो देख लिया कि मौजूदा सरकार भी रोज़गार कहाँ से लाये के संकट से जूझती रही। अब जहाँ नौकरियाँ ही ग़ायब हों वहाँ इस दस फ़ीसद का क्या औचित्य है? निजी क्षेत्र को भी इसके दायरे में लाया जाता तो कोई बात होती। पिछले दो दशकों में सरकारी नौकरियों में लगातार कटौती की जा रही है। अनुदान आधारित शैक्षणिक संस्थाओं को क़र्ज़ आधारित संस्थाएँ बनाया जा रहा है। निजीकरण सच है और स्वीकार्य है तो बिना निजी क्षेत्रों को जद में लाये इस दस फ़ीसद आरक्षण का लाभ किसे मिलने वाला है। अगर सरकारी क्षेत्र में भरपूर नौकरियाँ होतीं तो सरकार का यह फ़ैसला आज हर पान की दुकान और गाँव की चौपालों पर गूँज रहा होता। पर ज़मीनी स्तर पर आम लोगों की चुप्पी ही दिख रही है।

तीन राज्यों में हार के बाद सरकार का सुधार और आम लोगों की चुप्पी। सरकार के नुमाइन्दों और आम लोगों को भी पता है कि यह वैसा गम्भीर प्रयास नहीं है जो कोई ज़मीनी बदलाव ला पायेगा। इस फ़ैसले का सकारात्मक पक्ष यह है कि सरकार अपनी हताशा और निराशा से उबरने की जद्दोजहद करती दिखाई दे रही है। 'आरक्षण भगाओ देश बचाओ' का नारा लगाने वाले भी अब ज़्यादा से ज़्यादा नौकरियाँ लाने का ही नारा लगाने के लिए मजबूर होंगे। इस फ़ैसले के बाद एक सामूहिक आवाज़ तो उभर ही गयी है कि नौकरियाँ कहाँ हैं? साल के दूसरे हफ़्ते का पाठ यही कि विमर्श में नौकरी है। रोज़गार पर बात निकली है तो दूर तलक जायेगी।

12 जनवरी 2019

उत्तर प्रदेश में सपा–बसपा, कांग्रेस से गठबन्धन नहीं चाहते, या कांग्रेस अकेले लड़ना चाहती है, इस पर बहस जारी है। लखनऊ में सपा–बसपा की साझा प्रेस कॉन्फ्रेंस, तस्वीरों में एक साथ मौजूद आम्बेडकर और लोहिया की तस्वीर के बाद दिल्ली दरबार का पूरा विमर्श बदल गया। उत्तर प्रदेश वह प्रयोगशाला है, जहाँ कांशीराम और मुलायम की लहर में भी गोरखपुर की सीट भाजपा के पास थी। इसके उलट जब बसपा को शून्य पर टिका और सपा को पारिवारिक सदस्यों के बीच सिमटा दिया गया था तब गोरखपुर अलग ही राजनीतिक मोड़ लेता है। 2014 के लोकसभा चुनाव में उत्तर प्रदेश ने जो ऐतिहासिक जनादेश दिया था आज उससे उबरने के लिए सपा और बसपा साथ हैं। इस सूबे की राजनीति, केन्द्र की भी राजनीति है। लोहिया–आम्बेडकर की तस्वीरों को साथ रख इस समीकरण का उद्देश्य है अपने–अपने वोट बैंक को साध ज़्यादा से ज़्यादा सीटें हासिल करना। केन्द्र की राजनीति में सपा–बसपा के अंक मज़बूत हों, इसलिए ज़रूरी है कि कांग्रेस का गणित बिगड़ जाये। संसद में आर्थिक आधार पर दस फ़ीसद आरक्षण पर साथ–साथ चलने के बाद ये दोनों दल अपने–अपने वोट बैंक के पास उसी 'पहचान' के साथ लौट आये हैं जो इनकी बुनियाद हैं। बुनियादी विरोधाभासों के साथ वोट बैंक की ऊँची इमारत पर बैठे दोनों दलों की साझीदारी से निकले पाठ पर इस बार का बेबाक बोल।

उत्तर प्रदेश का सवाल

बचपन में हम सबने कहानी पढ़ी है। अक्सर कहानी में होता था एक ग़रीब ब्राह्मण था। क्या कहानी में कभी पढ़ा है कि एक ग़रीब दलित था, कुम्हार था या मल्लाह था। उसके लिए कहानी नहीं बनती क्योंकि वह हक़ीक़त है। ब्राह्मणों की ग़रीबी गल्प थी। हमसे उम्मीद की जा रही कि मध्यरात्रि लूट पर मुहर लगा दें...। सामान्य जाति के ग़रीब तबकों को दस फ़ीसद आर्थिक आरक्षण के प्रस्ताव वाला विधेयक पास होने के वक़्त राष्ट्रीय जनता दल के नेता ने संसद में ये बातें कहीं। राजद नेता कह रहे थे कि हम एकमात्र दल हैं जो खुलेआम इसका विरोध कर रहे हैं। उनकी बातों का इशारा सपा और बसपा की तरफ़ भी जा रहा था जिनका वजूद जातिगत आरक्षण की ज़मीनी लड़ाई लड़ने के कारण बना।

सवर्णों के आरक्षण पर सपा–बसपा के साथ आते ही सामाजिक न्याय का सन्दर्भ पूरी तरह से बदल गया। कुछ राजनीतिक दलों को छोड़ पूरी संसद साथ थी। बसपा तो इसके पहले भी 'ग़रीब ब्राह्मणों' के हित की बात करती आयी है। 'ब्राह्मणों' पर उसकी सदाशयता सहित कई कारण कई बार उसे भाजपा के साथ जाने को मजबूर करते रहे हैं।

लखनऊ में सपा और बसपा की साझा प्रेस कॉन्फ्रेंस होते ही दिल्ली हिल उठी। सारे राजनीतिक और सामाजिक विमर्श इस ओर मुड़ गये। विद्वानों ने 'बुआ' और 'बबुआ' के पीछे लगी तस्वीरों का महत्त्व समझाया। तस्वीर की 'तस्वीर' यह थी कि आम्बेडकर के साथ लोहिया थे। सामाजिक न्याय के प्रवक्ताओं ने अपील की कि जातिगत आरक्षण को ख़त्म करवाने की दिशा में इनके अहम योगदान को भुला दिया जाये और आम्बेडकर व लोहिया की तस्वीर साथ लाने के योगदान को ऐतिहासिक बनाया जाये। लोहिया और आम्बेडकर अपने जीवन में साथ काम नहीं कर पाये तो

क्या इनकी तस्वीरों को साथ लगाने और मीडिया में प्रसारित करवाने को सामाजिक न्याय के सन्दर्भ में ऐतिहासिक मान लिया जाये? क्या संसद के अन्दर और बाहर के दोनों के साथ के 'सामाजिक न्याय' को इसी चश्मे से देखा जाये।

देश की सबसे ज़्यादा लोकसभा सीटों वाले उत्तर प्रदेश की राजनीति महज़ राज्य की नहीं, केन्द्र की भी राजनीति है। यहाँ मण्डल कमीशन बनाम सामाजिक न्याय की लड़ाई के प्रतीक बने थे मुलायम सिंह यादव। मध्यवर्गीय जातियों को केन्द्र की राजनीति में लाने में इनका योगदान अहम रहा है। दूसरी तरफ़ कांशीराम की 'बहुजन' राजनीति का प्रतीक बनीं मायावती। इस बहुजन में दलितों के साथ मुसलमानों को भी शामिल किया गया। इसके साथ ही ओबीसी में मुसलमानों को शामिल करने की रणनीति बनी। मुसलमानों को सबके केन्द्र में रखा गया था।

उत्तर प्रदेश में सपा और बसपा का 'अन्य' भाजपा बनी। भाजपा की राजनीति के केन्द्र में सवर्ण थे। ओबीसी, मुसलमान और दलित के समीकरण में कांग्रेस का जो घटाव था वह भाजपा के लिए जोड़ बन रहा था। उत्तर प्रदेश के 'अन्य' में कांग्रेस घटती गयी और भाजपा उभरती गयी। इसलिए आज उत्तर प्रदेश के जातिगत समीकरण में तीन खिलाड़ी सपा, बसपा और भाजपा हैं।

दलित, ओबीसी, ब्राह्मण, ठाकुर और मुसलमानों के गठजोड़ों में जिस एक ज़मीनी विरोधाभास को नज़रअन्दाज़ किया जा रहा है, वह है ज़मीन यानी खेत का मुद्दा। आज उत्तर प्रदेश की ज़्यादातर खेतिहर ज़मीनों पर मालिकाना हक़ किसका है? पिछले चार दशकों में सूबे की खेतिहर ज़मीनें सवर्णों से हस्तान्तरित होकर मध्यवर्गीय जातियों तक पहुँचीं। इससे सबसे ज़्यादा यादवों की शक्ति बढ़ी।

अब खेत मालिकों के उलट खेतिहर मज़दूरों की बात करें। ज़्यादातर खेतिहर मज़दूर दलित हैं। कारख़ाना मालिक और कारख़ाना मज़दूरों के हित जिस तरह से एक नहीं होते उसी तरह से उत्तर प्रदेश जैसे अर्द्धसामन्ती समाज में खेत के मालिक और खेतिहर मज़दूरों के हित एक नहीं हैं। पिछले सालों में दलितों और ओबीसी के हितों के बीच विरोधाभास बढ़ा है। इन सबके बीच मायावती, भाजपा के साथ मिलकर भी अपनी जगह बनाती रही हैं। इसलिए सपा और बसपा के गठबन्धन के गणित को विरोधाभासों

के सन्दर्भ में देखना होगा। सिर्फ़ लोहिया और आम्बेडकर की तस्वीरें साथ लगाकर विरोधाभास को ख़त्म नहीं किया जा सकता।

मायावती अपनी पहचान दलितों की राष्ट्रीय नेता के रूप में बनाने में कामयाब रही थीं। मायावती की इसी पहचान के बरअक्स भाजपा ने अपनी सोशल इंजीनियरिंग शुरू की थी। मायावती को दलित पहचान से कमतर कर जाटव पहचान तक रखने की कोशिश की गयी। अन्य दलित जातियों की पहचानों को उभारा गया। इन पहचानों में विरोधाभास डालकर उन्हें 'हिन्दू' पहचान देने की रणनीति बनाई गयी। यही काम ओबीसी और यादव के बीच भी किया गया कि उन्हें हिन्दू छतरी के नीचे लाया जाये। इस सोशल इंजीनिरिंग में जो हिन्दू मतदाताओं का उत्पाद तैयार किया गया, जिसमें मुसलमान बेदखल था। प्रयोगशाला के उत्पाद पर भरोसा था, इसलिए पिछले लोकसभा चुनाव में एक भी मुसलिम मतदाता को टिकट नहीं दिया गया। इसके साथ 'अन्य' को एक–दूसरे के ख़िलाफ़ कर अपने–अपने दायरे के विरोधाभास पैदा किये गये। नतीजा था कि किंगमेकर बनने का सपना देखने वाली बसपा शून्य पर थी।

राजा बनाने के रिमोट से लेकर शून्य तक के सफ़र का पाठ है सपा–बसपा गठबन्धन। इसी शून्य से उबरने के लिए, अपना अस्तित्व बचाने के लिए उस बुनियादी विरोधाभास से समझौता किया गया जिसका ज़िक्र हम ऊपर कर चुके हैं। इस समझौते को पहचान दी जा रही है सवर्णों के आरक्षण विरोधी की, दलित–ओबीसी एकता की, फुले–आम्बेडकर–लोहिया के सपनों के कोलाज की।

2014 में शून्य के बाद अगले पाठ का अभ्यास तो कैराना से ही शुरू कर दिया गया गया था। ऐसी सद्भावना बनाई गयी कि सपा–बसपा एक–दूसरे के ख़िलाफ़ उम्मीदवार खड़ा नहीं कर रहे थे। कांग्रेस की अनुपस्थिति में ये दोनों दल साथ थे। नतीजा था कि भाजपा को जबरदस्त हार का सामना करना पड़ा।

अब इस पाठ का सवाल यह है कि विरोधाभासों को दरकिनार कर ओबीसी–दलित–मुसलमान की जो एकता बनाई गयी है क्या वह वोट के रूप में भी फलीभूत होगी? पिछली बार मुसलमानों के पास संकट था कि किसके साथ जायें और इस असमंजस में वे बँट गये। अब एकता के रंग में मुसलिम पहचान का भी शामिल होना क्या रंग लायेगा? यह बृहत्तर

एकता चुनावी मैदान में कितनी मंजूर होगी यह तो वक़्त ही बतायेगा।

इस विरोधाभासी एकता में सपा को उम्मीद है सूबे का राज सँभालने की और बसपा प्रमुख इतनी सीटें चाहती हैं कि प्रधानमन्त्री नहीं तो उपप्रधानमन्त्री तक के लिए सीटों का गणित बन जाये। सपा और बसपा का यह सपना पूरा होने के लिए कांग्रेस की सीटों की संख्या का कम होना भी ज़रूरी है।

उत्तर प्रदेश में गठबन्धन तीन इकाइयों में बँट चुका है। कांग्रेस को बेदखल कर राज्य की राजनीति में समाजवादी और केन्द्र की राजनीति में बहुजन का राज हो। इस गठबन्धन के तीसरे पाठ में अभी तक नहीं बनने वाला वह तीसरा मोर्चा फिर से अपना राग छेड़े जाने की माँग भी कर रहा है। देश की राजनीति में विकल्प के तौर पर कांग्रेस के ख़िलाफ़ खड़े मोर्चे के रूप में भी इसकी पहचान बन सकती है। अपनी–अपनी संख्या कैसे बढ़ायें, यही मई 2019 का पूरा कथ्य होगा। इसमें कांग्रेस की जीत दबाकर एक विकल्प बनाने का सन्दर्भ भी देखा जा सकता है। आज विरोधाभास चुनावी सीटों के लाभ के 'गेस्ट हाउस' में आराम फरमा रहा है। लोहिया और आम्बेडकर की तस्वीरों का साथ, सीटों की बात बन पायेगी या नहीं, इसका जवाब भारतीय राजनीति की सबसे बड़ी पाठशाला उत्तर प्रदेश से मिलने का इन्तज़ार है।

19 जनवरी 2019

2014 में हुआ लोकसभा चुनाव छवि बोध की जंग भी था। छवि की ब्रांडिंग में जो आगे होगा, मैदान वही मारेगा। सपा–बसपा गठबन्धन के बाद उत्तर प्रदेश के मैदान में कांग्रेस को मूर्च्छित ही माना जा रहा था, लेकिन ब्रांडिंग वाला बाज़ार इसी क्लाइमेक्स वाले समय को अहम मानता है। तुरुप का पत्ता भी इसी ब्रांडिंग का हिस्सा है। भारतीय राजनीति में इन्दिरा गाँधी को एक ब्रांड बना दिया गया है। 2019 के करो या मरो वाले हालात में इन्दिरा जैसी छवि को औपचारिक तौर से उतारने का वक़्त आ गया था। आज जब कांग्रेस की ओर से डंका बजा कर प्रियंका को उतारा गया है तो वे गाँधी के साथ वाड्रा के भ्रष्टाचार के आरोपों के घेरेवाले कुलनाम को भी ढो रही हैं। 2019 के बाज़ार में हर दल की चाल को मास्टर स्ट्रोक ही बताया जा रहा है तो आमद का जयकारा थमने के बाद उन्हें बताना ही होगा कि उनकी ओर से जनता के लिए नया क्या है। कभी–कभी तुरुप का पत्ता जोकर से भी मात खा जाता है, खेल के इस विडम्बना की याद दिलाता बेबाक बोल।

तुरूप का पत्ता

हरियाणा के पूर्व मुख्यमन्त्री ओमप्रकाश चौटाला जो शिक्षक भर्ती घोटाले के आरोप में इन दिनों जेल में हैं, ने कहा था कि राजनीति में कभी सम्भावनाओं का अन्त नहीं होता। उनका यह बयान इस सवाल पर था कि आज उनकी पार्टी इंडियन नेशनल लोकदल जो भाजपा के साथ कभी न मिलने की कसमें खा रही है, क्या यह आगे भी बना रहेगा। चौटाला ने जिस सम्भावना की बात की थी वह पिछले डेढ़ दशक में कभी पूरी होने की नौबत नहीं आयी। हाँ, भारतीय राजनीति के मैदान में उस सम्भावना को सच्चाई बना दिया गया है जिसका ढोल पिछले कई सालों से बजाया जा रहा था।

कांग्रेस अध्यक्ष राहुल गाँधी ने प्रियंका गाँधी को इस बार औपचारिक पते के साथ पूर्वी उत्तर प्रदेश का कार्यभार सौंपा है। यह औपचारिक पता है, दिल्ली में 24 अकबर रोड पर कांग्रेस मुख्यालय का। राजनीति के मैदान पर प्रियंका नयी नहीं हैं और न ही नया है उनके कुलनाम से करिश्मे की उम्मीद। हाँ, इस बार वे दो कुलनामों के साथ हैं। आज जब वे प्रियंका गाँधी वाड्रा की पहचान के साथ हैं तो पति के उपनाम पर भ्रष्टाचार के आरोपों की परछाईं भी साथ लेकर चल रही हैं। सक्रिय और औपचारिक राजनीति में बहन की आमद के साथ ही भाई के चेहरे पर दबाव भी बढ़ जाना तय है। हालाँकि, राजनीति में चुनाव के पहले और बाद के यथार्थ को बदलते देर नहीं लगती। जो जीता वही सिकन्दर होता है और वही क़बूल और नाक़बूल करवाना तय करता है। इसलिए पहली चुनौती है उतनी सीटें लाना कि भाई परिदृश्य से बाहर न हो।

आज 47 साल की उम्र में जिन्हें औपचारिक पदभार दिया गया है उन्हें राजनीति में आने के लिए किसी काग़ज़ के टुकड़े पर पदनाम की

ज़रूरत थी भी नहीं। वह 16 साल की उम्र थी जब प्रियंका गाँधी ने सार्वजनिक मंच को सम्बोधित किया था और आम जनता ने उनमें इन्दिरा गाँधी की छवि देखी थी। इसके बाद था 1999 का समय, 27 साल की प्रियंका गाँधी वाड्रा और रायबरेली के मैदान में खड़े सतीश शर्मा। कांग्रेस उम्मीदवार सतीश शर्मा के ख़िलाफ़ खड़े थे भाजपा खेमे में गये अरुण नेहरू। अरुण नेहरू राजीव गाँधी के ममेरे भाई थे। उस समय के चुनावी जानकार, खटास के बाद कांग्रेस के ख़िलाफ़ खड़े अरुण नेहरू का पलड़ा भारी बता रहे थे। तभी रायबरेली की जनता से प्रियंका की अपील गूँजी, 'मुझे आपसे एक शिकायत है, मेरे पिता के साथ जिसने गद्दारी की, पीठ में छुरा भोंका, जवाब दीजिए ऐसे आदमी को आपने यहाँ घुसने कैसे दिया? उनकी यहाँ आने की हिम्मत कैसे हुई'। इस भावुक अपील का असर था कि चुनावी नतीजों में अरुण नेहरू चौथे पायदान पर पहुँच गये थे।

अरुण नेहरू को परास्त करने के पहले और बाद भी माँ और भाई की मदद के लिए प्रियंका ख़ास कर उत्तर प्रदेश के मोर्चे पर डटी रही हैं। 56 इंच वाले सीने का जवाब भी पहली बार प्रियंका की तरफ़ से ही बड़े दिल के रूप में आया था। साथ ही अक्षरों का विस्तार कर नाम लेने की लोकप्रिय शैली को एबीसीडी पढ़ाना बताकर टक्कर देती ही रही हैं। उत्तर प्रदेश में पिता की पीठ में छुरा घोंपने वाले को जनता से सज़ा देने की माँग कर तो दक्षिण में पिता के हत्यारों को अपनी तरफ़ से माफ़ करने वाली प्रियंका आज औपचारिक पद के साथ उतारी गयी हैं तो फिर हंगामा है क्यों बरपा।

हंगामा इस सर्वमान्य तथ्य पर है कि कांग्रेस ने अपना तुरुप का पत्ता चल दिया है। लेकिन यहाँ यह भी ध्यान रखने की बात है कि सियासत के मैदान में कभी–कभी तुरुप का पत्ता नाकाम भी हो जाता है। यहाँ पत्ते इस तरह फेटे जाते हैं कि कई बार जोकर भी बादशाह को परास्त कर देता है। भारतीय राजनीति के इतिहास में इन्दिरा गाँधी की वो ऐतिहासिक हार भी दर्ज है जो उनके हाथों मिली थी जिन्हें सियासी जोकर का ही दर्जा हासिल हुआ था। हाल ही में बीता चुनाव भी उनके सिर जीत का ताज दे गया जिसे जोकरनुमा 'पप्पू' का खिताब दिया गया था। तीन राज्यों के नतीजों के बाद 'पप्पू' को औपचारिक रूप से श्रद्धांजलि देकर चुनाव नतीजों के बाद हुए पहले ही प्रेस कॉन्फ्रेंस में 'श्री' लगाना पड़ा।

तो इस बार तुरुप का पत्ता और औपचारिक मोहर के साथ नया है उम्मीदों का वह पहाड़ जो 'बजेगा डंका जब आयेगी बेटी प्रियंका' की माँग पूरी होने के बाद खड़ा हुआ है। एक औपचारिक ऐलान के बाद वे ये–वो से लेकर पता नहीं क्या–क्या कर देंगी वाला भाव उत्तर प्रदेश की ज़मीन पर तैराया जा रहा है। साथ ही ख़ास बात यह है कि राहुल गाँधी के विपरीत उन्हें प्रशिक्षु की तरह नहीं अनुभवी चेहरे के तौर पर उतारा गया है। राहुल गाँधी ने ख़ुद ही ऐलान किया है कि हम बैक फ़ुट पर नहीं फ्रंट फ़ुट पर खेलेंगे।

इस बार प्रियंका को फ्रंट फ़ुट दिया गया है पूर्वी उत्तर प्रदेश में। पूर्वी उत्तर प्रदेश जो सपा और बसपा का गढ़ रहा था। आज अगर भाजपा आलाकमान की राजनीतिक पदोन्नति हुई या उन्हें चाणक्य का दर्जा हासिल है तो उसमें अहम भूमिका थी उत्तर प्रदेश के नतीजों की। ख़ासकर पूर्वी उत्तर प्रदेश में भाजपा का पताका लहराना ऐतिहासिक था। पूर्वी उत्तर प्रदेश में 2009 में कांग्रेस को 13 से ज़्यादा सीटें मिली थीं। कांग्रेस को उम्मीद है कि प्रियंका का चेहरा उन खोये मतदाताओं को वापस लाने में मददगार होगा। हालाँकि उनके प्रचार के बाद 2014 की ऐतिहासिक हार भी थी जब पार्टी के खाते में महज़ दो ही सीटें थीं। आम चुनाव के बाद 543 में से 44 सीटें हासिल करने वाली कांग्रेस औपचारिक रूप से विपक्ष का दर्जा भी खो चुकी थी।

इस पूर्वी उत्तर प्रदेश में दो कद्दावर चेहरे हैं, एक राज्य के और दूसरे केन्द्र के। उन दोनों कद्दावर चेहरों के करिश्मे के आगे नया जादू बिखेरना आसान नहीं होगा। यही उत्तर प्रदेश है जहाँ मायावती भी अपने विकल्प बनने का दावा कर रही हैं, और जिसे ख़ारिज भी नहीं किया जा सकता है। यहाँ मुलायम और अखिलेश भी हैं जो केन्द्र नहीं तो सूबे की राजनीति में ख़ुद को स्थापित करने की पूरी कोशिश में जुटे हैं।

आर्थिक आधार पर दस फ़ीसद आरक्षण देकर भाजपा और गठबन्धन कर सपा और बसपा भी अपने तुरुप के पत्ते चल चुकी है। इनमें कांग्रेस का पत्ता अहम इसलिए है कि इसके बाद पार्टी का करिश्मा या तुरुप का पत्ता वाला खाता पन्द्रह से बीस सालों के लिए खाली हो जायेगा। प्रियंका नेहरू–गाँधी की नयी सदस्य हैं जो औपचारिक राजनीति में शामिल हुई हैं। अब कांग्रेसी खेमे के अगले करिश्मे के लिए देश को लम्बा इन्तज़ार

करना होगा। कभी 'इन्दिरा लाओ देश बचाओ' वाला नारा आज 'प्रियंका लाओ कांग्रेस बचाओ' तक सिमट गया है। इस सिमटे हुए भाव में इस बार यह करिश्मा चलेगा या नहीं यह तो वक़्त बतायेगा। लेकिन अहम है कि उत्तर प्रदेश में चारों दलों ने कथित तुरुप का पत्ता या मास्टरी चाल ही चलने का दावा किया है। अब देखना है कि जनता इन पत्तों को कैसे फेटती है।

26 जनवरी 2019

ग़रीबों को न्यूनतम आय की गारंटी का चुनावी वादा कांग्रेस की ओर से उछालने के साथ ही केन्द्र ने सुप्रीम कोर्ट में अर्ज़ी दे दी कि अयोध्या में ग़ैर–विवादित ज़मीन रामजन्मभूमि न्यास को दी जाये। पहले वाले वादे पर जनता सोच रही कि इन्दिरा गाँधी ने ग़रीबी हटाओ का नारा दिया था। ग़रीबी हटाओ का मतलब यही था कि सबकी जेब में कुछ हो, कोई भूखे पेट न सोये। ऐसी स्थिति तो नहीं आयी, अलबत्ता अब उस नारे को ग़रीबों के लिए न्यूनतम आय का नाम देकर फिर से 2019 के मैदान में उतारा गया है। वहीं दूसरे पक्ष से पूछा जा रहा कि आस्था तो उसी विवाद पर थी, ग़ैर–विवादित वाले 'कांग्रेसी मन्दिर' का हम क्या करें। भाजपा के घोषणापत्र में भटकते राम मन्दिर पर कांग्रेसी नेता ने दावा ठोंक दिया कि ताला हमने खोला था तो मन्दिर भी हम ही बनवायेंगे। ग़ैर–विवादित भूमि वाले 'रामबाण' का असर 2019 के मैदान में क्या होने वाला है, इसी का विश्लेषण करता बेबाक बोल।

रामबाण

राष्ट्रीय राजधानी दिल्ली का इन्दिरा गाँधी राष्ट्रीय कला केन्द्र। यहाँ चल रहे महोत्सव में कुछ ख़ास तरह के लोग बैठे थे जिनके पूरे शरीर पर राम नाम का गोदना गुदा था। गाल, नाक से लेकर कान तक पर राम और सिर्फ़ राम। यह छत्तीसगढ़ का एक समुदाय था। इस समुदाय के बारे में अक्सर बातें होती रही हैं। एक बार और सही। एक सदी पहले इन्होंने ऐसा आन्दोलन छेड़ा कि शरीर को ही मन्दिर बना डाला। कथित छोटी जाति के होने के कारण इन्हें मन्दिर में प्रवेश की इजाज़त नहीं थी। इस अपमान के कारण इन्होंने मन्दिर में कभी प्रवेश नहीं किया पर राम नाम गुदवाकर अपने पूरे शरीर को ही मन्दिर बना डाला। समुदाय के एक सदस्य से राम मन्दिर विवाद पर सवाल कर ही डाला। एक का जवाब था कि जिन राजा राम ने 'रघुकुल रीत सदा चली आयी, प्राण जाई पर वचन न जाई' की तर्ज़ पर बस पिता की कसम की मर्यादा रखने के लिए राजपाट छोड़ डाला क्या उन्हें इस बात की चिन्ता होगी कि उनका मन्दिर बनेगा या कहाँ बनेगा।

तुरुप के पत्तों और मास्टरी चाल की होड़ में 'रामबाण' चलाते हुए सुप्रीम कोर्ट में सरकार की अर्ज़ी पहुँच गयी। अयोध्या के लिए चलाये गये इस 'रामबाण' का क्या असर होगा? क्या यह चुनावी मैदान में कूदने जा रही सरकार का ब्रह्मास्त्र था। तो इस ब्रह्मास्त्र के असर को परखने के लिए कुम्भ की प्रयोगशाला से बेहतर कौन–सी जगह हो सकती है। पिछले चुनावों में अमेठी में मारे गये तंज़ 'हू इज़ शी' वाली डुबकी ले चुकी हैं और ट्वीट भी हो चुकी हैं। वो कौन बोलने वालीं के नये सियासी अवतार के साथ डुबकी लेने के दावे किये जा रहे हैं। बुआ से गठबन्धन के बाद बबुआ भी अपनी डुबकी की पोज मीडिया को दे चुके हैं। इन

सबके जवाब में सूबे के मुखिया सहित पूरा मन्त्रिमण्डल डुबकी लगा आया और कुम्भ में पहली कैबिनेट बैठक का तमगा भी लहराया। इसके साथ ही जवाहरलाल नेहरू से लेकर इन्दिरा गाँधी तक के कुम्भ में आस्था जगाने की तस्वीरें सोशल मीडिया पर तैरने लगीं। इसी कुम्भ में सरकार की अर्ज़ी को लेकर कोई हंगामा नहीं बरपा।

कुम्भ की नगरी में किसी ने इसे मजबूरी का नाम ग़ैर–विवादित मन्दिर बताया तो किसी ने कहा कि यह तो मन्दिर का कांग्रेसी फॉर्मूला है, हम इस मन्दिर का क्या करेंगे। एक का कहना था कि मन्दिर सोने की अट्टालिकाओं और वादों के कंगूरों का नहीं, आस्था के गर्भगृह का चाहिए था। तम्बू में विराजे रामलला को गर्भगृह में पहुँचाना था। साधु–सन्तों को यह आस्था के गुम्बद का विध्वंस सरीखा ही लगा। संसद में क़ानून क्यों नहीं, जैसे सवाल के आगे 'रामबाण' को एक भी मरीज़ ऐसा नहीं दिखा जिसके मर्ज़ का इलाज उसके पास हो।

जहाँ कुम्भ में इस 'कांग्रेसी मन्दिर' को ख़ारिज किया जा रहा है तो अयोध्या में निर्मोही अखाड़ा भी इसमें मन्दिर को लेकर मोह नहीं राजनीति ही देख रहा है। अब जब सरकार का कार्यकाल ख़त्म होने को है और सहायक शाखाएँ पूछ रही हैं कि मन्दिर का क्या हुआ और मातृ संस्था भी इस मामले में कड़ाई से रिपोर्ट कार्ड तलब कर रही है तो सुप्रीम कोर्ट की शरण सिर्फ़ राजनीतिक लाभ लेने की कोशिश भर ही दिखाई दे रही है।

भाजपा और कांग्रेस के एक–दूसरे की मास्टरी चाल के बाद जब हम साथ–साथ हैं, दिखने लगते हैं तो कांग्रेसी मन्त्री दावा ठोंक बैठते हैं कि ताला हमने खुलवाया तो मन्दिर हम ही बनवायेंगे। भाजपा के घोषणापत्र में कहीं दुबका हुआ मन्दिर वाला वादा कांग्रेसी वादों की फेहरिस्त में शामिल हो बैठता है। कांग्रेस की भी रणनीति है कि इस मन्दिर गाथा में उसे खलनायक नहीं बनना है। उनके प्रवक्ता याचिका और अर्ज़ी के बीच का भेद बताकर भाजपा की इस पूरी कवायद को फर्ज़ी बता रहे हैं।

2019 के चुनावी मैदान में प्रियंका गाँधी को औपचारिक सियासत का चोला पहना और कांग्रेस दफ़्तर की आधिकारिक मुहर लगा कांग्रेस ने अपना तरकश तो अगले दस से पन्द्रह सालों के लिए खाली कर ही दिया। अब भाजपा ने अपनी सुप्रीम अर्ज़ी से अरज कर दी कि इस बार इतना ही, बाक़ी आगे देखेंगे। अब तक जो विवाद चुनावी प्रचार का

मुख्य अध्याय था उसे ग़ैर–विवादित के रूप में बस क्षेपक बना डाला है। जिसपर पहले ही ठप्पा ग़ैर–विवाद का लगा दिया उसका चुनावी मैदान में क्या काम। इसका सीधा सन्देश है कि इस कार्यकाल में तम्बू वाले रामलला के मन्दिर का आख्यान नहीं रचा जायेगा।

नब्बे के दशक में दीवारों पर 'जिस हिन्दू का ख़ून न खौले, ख़ून नहीं वो पानी है' लिखने वाले उत्साही जवान आज प्रौढ़ावस्था को पार कर घट–घट में राम वाली बुजुर्गियत में पहुँच चुके हैं। पत्थरों को तराशने वाले, खम्भे तैयार करने वाले कई हाथ अब इस दुनिया में नहीं हैं। वह दानपात्र अब भी मौजूद है और अयोध्या जंक्शन पर उतरने वाले श्रद्धालु अब भी उसमें अपनी आस्था का दान कर रहे हैं। सरयू के तट पर श्रीराम की विशालकाय मूर्ति लगाने का वादा है। अयोध्या को लोकप्रिय पर्यटन स्थल बनाने की कवायद शुरू हो चुकी है। सब कुछ आगे बढ़ा लेकिन लोग अब यह भी पूछ रहे हैं कि कहीं यह वादा पीछे की ओर तो नहीं लौट रहा कि मन्दिर वहीं बनायेंगे।

मुश्किल यह है कि रामबाण का वैसा हंगामा भी नहीं बरपा। लोग ज़्यादा पूछ भी नहीं रहे हैं। क्योंकि मन्दिर आस्था का ही सवाल है। शहरों से लेकर क़स्बों तक में ईंट–गारों से आधुनिक शैली में बनाये मन्दिर पर 'प्राचीन' लिखा मिल जाना आम बात है। जिन लोगों ने आधुनिक मन्दिरों की बुनियाद डलते देखी है वे भी कंगूरे के पास लिखा 'प्राचीन' देख आँखें मूँद लेते हैं। यही 'प्राचीन' है जो आस्था भी तैयार करती है। उस आम जनता के लिए यह प्राचीन की आस्था अहम है जो राहुल गाँधी के ताज़े वादे 'सबको न्यूनतम आय' का मतलब ही नहीं समझ पायी है। वह पूछ रही है कि आपका यह वादा दादी के वादे 'ग़रीबी हटाओ' से किस तरह अलग है। सत्तर सालों तक ग़रीबी नहीं हटी तो अपने अभाव को आस्था के भाव से ही तो पीछे धकेला। अब यह 'ग़रीबी हटाओ' सबको न्यूनतम आय वाले नये वादे के साथ ले आया गया है। कम जनसंख्या वाले यूरोपीय देशों में लागू हो सकने वाली इस व्यवस्था का वादा अगर किया जा रहा है तो क्या बुराई है।

अगर आपकी सरकार आयी और इस ग़रीबी हटाओ की बुनियादी राह ही बनाने में कामयाब हो पायी तब तक के लिए भी आस्था के सिवा और क्या सहारा है। आस्था तो उस गर्भगृह में थी जहाँ से प्राचीन होने

का अहसास है। भारत जैसे देश में आस्था के रंग निर्गुणी धारा में भी बह जाते हैं। मक्का में थके–हारे गुरु नानक सो गये। उन्हें इस तरह सोते देख कुछ लोगों ने पूछा कि तू कौन काफ़िर है जो अल्लाह के घर की तरफ़ पैर कर सो रहा। नानक ने कहा कि मेरा पैर उस तरफ़ कर दो जिधर अल्लाह का घर न हो। नानक का पैर घुमाने वाले को पता चला कि जिधर वह पैर करता उधर ही काबा दिखता। गुरु नानक की यही आस्था मन चंगा तो कठौती में गंगा वाले भाव के साथ बह रही है। कुम्भ के बिना भी स्नान है और मन्दिर गये बिना भी पूजा है। बाक़ी जो बचा, वह राजनीति है।

2019 के चुनावी बाज़ार में मन्दिर से लेकर इन्दिरा गाँधी द्वितीय तक का वार चल दिया गया है। बाक़ी जन तो देख ही रहा है कि उसके लिए कोई धन आयेगा कि नहीं। अब तो 'राम रतन धन पायो' की आस्था भी उदास हो चुकी है।

2 फ़रवरी 2019

2014 का छवि बोध बनाया गया था कि भ्रष्टाचार विरोधी आन्दोलन का नतीजा है केन्द्रीय सत्ता से यूपीए–2 की बेदखली। यह बेदखली इतनी बुरी थी कि संसद में कांग्रेस विपक्षी दल का दर्जा पाने लायक भी नहीं रही थी। आज पाँच साल पूरे होते वक़्त प्रियंका गाँधी वाड्रा कांग्रेस महासचिव का पदभार ग्रहण करने के पहले अपने लाव–लश्कर के साथ भ्रष्टाचार के आरोपी पति को प्रवर्तन निदेशालय के दफ़्तर छोड़ती हैं। वहीं माँ, माटी और मानुष का नारा देने वाली ममता बनर्जी को सारदा घोटाले के पीड़ितों से ज़्यादा रॉबर्ट वाड्रा को इन्साफ़ दिलाने की चिन्ता होती है। भ्रष्टाचार के आरोपों पर पीड़ा के पत्ते खेल रही कांग्रेस की प्रवक्ता बेधड़क बोलती हैं कि सत्ता में आये तो तीन तलाक को अवैध बनाया गया क़ानून बदल दिया जायेगा। दिल्ली से लेकर कोलकाता तक लोकतन्त्र और संविधान की परिभाषा बदल दी जाती है। वे लोग भी कोलकाता पुलिस अधिकारी से पूछताछ की अदालती इजाज़त को नैतिक जीत बता रहे हैं जिनके पाले में सारदा घोटाले के आरोपी हैं। दोनों पक्षों के बदले पाठ पर बेबाक बोल।

बदला पक्ष

दिल्ली से आयी प्रियंका गाँधी की आवाज़–मैं अपने पति के साथ खड़ी हूँ...। कोलकाता से आयी ममता बनर्जी की आवाज़–हम रॉबर्ट वाड्रा के साथ खड़े हैं। दिल्ली से भाजपा के केन्द्रीय मन्त्री की आवाज़–यह नैतिक जीत है।

बिहार से निकली सीमांचल एक्सप्रेस पलट जाती है, छह लोग मर जाते हैं। लेकिन हमारे सारे नेता सिर्फ़ दिल्ली से लेकर कोलकाता तक की गतिविधियों पर बोल रहे थे। कोई नेता इस बात पर ग़ुस्सा नहीं हो रहा था कि आख़िर इन लोगों के मरने की ज़िम्मेदारी किसकी है। हम अभी तक सुरक्षित रेल यात्रा क्यों नहीं दे पा रहे हैं। इसके पहले दशहरे का मेला देखते लोग ट्रेन के नीचे कट गये। अभी तक की जाँच के अनुसार मरने वाले हादसे के कसूरवार हैं। सारदा चिट फंड के पीड़ितों की आपबीती एक बार फिर से मीडिया के सामने है। किसी की जीवन भर की पूँजी डूबने से वह सड़क पर आ गया था तो किसी ने फाँसी लगा ली थी। कोई औरत बेवा हुई थी तो किसी बच्चे के सिर से पिता का साया उठ गया था।

प्रियंका गाँधी और ममता बनर्जी की करिश्माई छवि के महागान के बाद 2019 के चुनावी मैदान में यह पारदर्शिता का नया पाठ है। अगर प्रियंका गाँधी वाड्रा से कोई आर्थिक अपराध के आरोपों के बारे में बात करता है तो उनका जवाब होता है, 'पूरी दुनिया को पता है कि क्या हो रहा है।' जब आप चुनाव के मैदान में हैं, जब आपकी छवि जीवन से बड़ी बना दी गयी है तो आप अपने पति के लिए आकर खड़ी हो जाती हैं। जिन्हें इन्दिरा गाँधी द्वितीय कहा जा रहा है, अब वे सिर्फ़ एक पत्नी हो जाती हैं।

कांग्रेस महासचिव की आधिकारिक मुहर लगने के बाद स्वदेश की धरती पर पाँव रखते ही, आधिकारिक रूप से 24 अकबर रोड पर पदभार

ग्रहण करने के पहले आपने एक पत्नी के रूप में ही दिखना क्यों चुना? वो एसपीजी सुरक्षा जिसे देखकर मीडिया से लेकर आम लोग तक मुग्ध हो जाते हैं, और जिसकी वजह से इन्सान क्या, कोई परिन्दा भी आपकी इजाज़त के बिना आपके पास पर नहीं मार सकता वो आपके लिए है, न कि आपके पति के लिए। आरोप यह है कि चुनाव नज़दीक देख केन्द्र सरकार सारदा से लेकर वाड्रा तक की फ़ाइल खुलवा रही है। लेकिन फ़ाइल तभी खुली है जब आरोप है। और, कहीं इन्हीं आरोपों से डरकर तो आपको ऐन चुनाव के पहले नये अवतार में चुनावी मैदान में उतारा तो नहीं गया? वाड्रा की छवि चुनावी समर में उतरी पत्नी के पति के रूप में ही दिखाई जा रही है। वही आरोप कि प्रियंका को परेशान करने के लिए वाड्रा से पूछताछ हो रही है।

इन्दिरा गाँधी द्वितीय को राजनीतिक पद मिलते ही भ्रष्टाचार के आरोपी पति के बचाव में आना पड़ा। वे चाहतीं तो प्रवर्तन निदेशालय के दफ़्तर से दूरी बरत सकती थीं। लेकिन यहाँ उल्टा था। पूछताछ की जगह के बाहर इस छवि को बहुत सोच–समझ कर भुनाया गया। आपको मीडिया के कैमरों के सामने क्या बोलना था यह तय था। लाव–लश्कर के साथ पूछताछ के लिए गये आरोपी के बारे में नहीं उनकी पत्नी के बारे में बात हो रही थी। अपने पति के साथ खड़ा होना बहुत आसान है लेकिन संवैधानिक संस्थाओं का सम्मान करते हुए निजता को छोड़ सार्वजनिकता के लिए खड़ा होना बहुत मुश्किल। अफ़सोस कि प्रियंका गाँधी वाड्रा ने आसान रास्ता चुना।

वहीं दिल्ली से दूर माकपा के ख़िलाफ़ माँ, माटी और मानुष का नारा देने वाली ममता बनर्जी को एक बार भी सारदा घोटाले के पीड़ितों की याद आयी थी कि नहीं, कह नहीं सकते। लेकिन 'स्ट्रगल्स ऑफ़ एग्जिसटेंस' नाम से आत्मकथा लिखने वाली, अच्छी चित्रकार और माँ दुर्गा को पूजने वाली आरोपियों के साथ खड़ी थीं। संविधान तो ख़ैर हर दलों के लिए राजनीतिक लफ़्फ़ाजी बन चुका है। दावा किया गया कि वे संविधान की रक्षा के लिए धरना दे रही हैं। उनके धरने के बगल में वो पुलिस अधिकारी बैठे थे जिनकी ज़िम्मेदारी संविधान की रक्षा करना है। लेकिन उनको बचाने के लिए मुख्यमन्त्री धरना दे रही थीं और ख़ुद को बचाने के लिए वे भी धरने पर थे। इसके बाद सुप्रीम कोर्ट ने पुलिस

कमिश्नर की दलीलों पर कहा–आप बहुत सोचते हैं। इसके साथ ही उन्हें सीबीआई के शिलांग के दफ़्तर में पूछताछ के लिए हाज़िर होने का निर्देश दिया।

2014 के बाद 2019 के लिए तैयार मैदान में यह टकराव का खेल सुपरहिट बन पड़ा है। लेकिन इस टकराव का सबसे ज़्यादा नुक़सान देश के संघीय ढाँचे को हो रहा है। अपने तात्कालिक स्वार्थ के लिए आप टकराव का रास्ता मोल लेकर उसे लोकतन्त्र और संविधान को समर्पित कर देते हैं। अदालत में ऐसी बातों के लिए जाते हैं कि टिप्पणी आती है–आप सोचते बहुत हैं। दिल्ली में रात के बारह बजे और कोलकाता में छुट्टी के दिन सरकारी अधिकारी के काम करने का विमर्श बदल कैसे जाता है। एक जगह वह असंवैधानिक है तो दूसरी तरफ़ संविधान।

सवाल तो उस पक्ष से भी हो रहा कि आपके पास कौन–सा वॉशिंग पाउडर है कि मुकुल रॉय, हेमन्त बिश्वे या बाबुल सुप्रियो से पूछताछ नहीं हो रही है। आपके पास मुकुल रॉय और नैतिक जीत दोनों एक साथ कैसे हो सकते हैं। जब वो तृणमूल कांग्रेस का दामन छोड़ कमल के साथ खिलने को तैयार थे तो आपको उनके दाग़ अच्छे क्यों लगे। आपने दाग़ की सफ़ाई होने का इन्तज़ार क्यों नहीं किया। मुकुल रॉय को अपने पाले में लाते हुए क्या आपको कभी सारदा घोटाले के पीड़ितों की याद आयी थी।

साम्प्रदायिक दुर्भाव से लेकर देशभक्ति का दोहन और सांस्थानिक संस्थाओं के इस्तेमाल की होड़ में कोई पीछे नहीं। दिल्ली से कोलकाता तक संविधान और नैतिकता दोनों बदल जा रहे हैं। वही माँ है वही माटी लेकिन सारदा पीड़ित का मानुष न तो दिल्ली के दिल में है और न कोलकाता के कोलाहल में।

इस बार पाठ तो अण्णा हजारे के लिए भी बदला है। 2014 के पहले वो कांग्रेस के भ्रष्टाचार पर बरस रहे थे तो जनता सहित अन्य विपक्षी दल उन पर प्यार बरसा रहे थे। अब नज़ारा बदला हुआ है। भ्रष्टाचार विरोधी आन्दोलन से बेदखल हुई कांग्रेस का नया आधिकारिक चेहरा दफ़्तर की कुर्सी सँभालने से पहले अपने पति को पूछताछ की कुर्सी पर बिठाकर आता है, 24 अकबर रोड पर उनके नाम की पट्टी के साथ लोग सेल्फ़ी ले रहे हैं। नैतिकता और संविधान बचाने वालों को लोकपाल नहीं चाहिए।

घर में टीवी देख रहा बच्चा आकर पूछता है–पापा, पापा, सीबीआई और पुलिस क्या एक–दूसरे को अरेस्ट करते हैं। पिता बच्चे का बदला सामान्य ज्ञान देख रहा है। इन सबके बीच अपना अनशन तोड़ चुके अण्णा रालेगण सिद्धि से प्रियंका गाँधी वाड्रा का 'जोश' देख रहे हैं। मैं इसके साथ, मैं उसके की राजनीतिक जुमलेबाज़ी के बीच नैतिकता और लोकतन्त्र का आहत स्वर है–यह 2019 है।

9 फ़रवरी 2019

जब भारत में आम चुनाव घोषित होने वाले है, पक्ष–विपक्ष अपना दमखम दिखाने में जुटा है तभी दहशतगर्द सेना के क़ाफ़िले पर हमला कर देते हैं। सीआरपीएफ के 40 जवान शहीद हो गये। आतंकवादियों का मक़सद ही होता है ऐसे खौफ़नाक तरीक़ों से देश को बेपटरी करना। महाशोक की इस घड़ी में पूरे देश ने एकजुट होकर दहशतगर्दों को जवाब दिया है। प्रधानमन्त्री ने कहा कि आतंकी संगठन और उनके सरपरस्त बहुत बड़ी ग़लती कर गये हैं, इसके गुनहगारों को उनके किये की सज़ा ज़रूर मिलेगी। कांग्रेस अध्यक्ष राहुल गाँधी ने कहा कि वे सरकार के साथ हैं। हिन्दुस्तान में किसान की ज़मीन पर पैदा हुआ जवान जब सरहद पर जाता है तो उसका पूरे देश से नाता जुड़ जाता है। अपने बेटे की चिता को आग देने की तैयारी कर रहा हिन्दुस्तानी पिता कहता है कि वह अपने दूसरे बेटे को भी सेना में भेजना चाहता है। शहीदों ने इस समय का पाठ यही दिया है कि हम एक साथ कहें–जय हिन्द।

शहादत का सन्देश

हमारे दिल को चोट पहुँची है। हमारी पूरी शक्ति आपके साथ है। इस घटना पर मैं सरकार का समर्थन करता हूँ। इस देश को कोई भी शक्ति तोड़ नहीं सकती है। हिन्दुस्तान की आत्मा पर हमला हुआ है। उनको मालूम होना चाहिए कि यह देश इन चीज़ों को भूलता नहीं है। यह समय दुखद है और इस घड़ी में हम पूरी तरह से भारत सरकार के साथ हैं।'–राहुल गाँधी

की शुरुआत राहुल के बयान से इसलिए क्योंकि कांग्रेस अध्यक्ष की भाषा पूरे हिन्दुस्तान की भाषा है। यह उस गंगा–जमुनी तहज़ीब की भाषा है जो इस देश को कभी टूटने नहीं देगी। महाशोक की इस घड़ी में आज जब हम पक्ष–विपक्ष, तेरा–मेरा छोड़कर एक साथ इकट्ठा हुए हैं तो यह कुर्बानी है उन 40 जांबाज़ों की। विपक्ष के नेता राहुल गाँधी ने ज़िम्मेदाराना तरीक़े से सरकार का साथ दिया है और सरकार ने जिस सख़्ती से ऐलान किया है, वह भावना है पूरे हिन्दुस्तान की। पूर्व प्रधानमन्त्री मनमोहन सिंह ने कहा है कि आतंकवाद ऐसी विपत्ति है जिससे कोई समझौता नहीं हो सकता। शहीदों की सूची में हिन्दू का नाम भी है और मुसलमान का भी। इसमें कथित ऊँची जाति के लोग भी हैं और पिछड़ी जाति के भी, लेकिन आज तिरंगे में लिपटकर ये सब सिर्फ़ भारतवासी हैं।

इस समय बातें बहुत कही जा सकती हैं और चुप भी रहा जा सकता है। सरकार को उसके पुराने बयान याद दिलाये जा सकते हैं और विपक्ष को भी आईना दिखाया जा सकता है, लेकिन यह समय न तो सरकार का था और न विपक्ष का। यह समय था हिन्दुस्तान के बेटों का। अगर शुरू किया है तो स्तम्भ लिखना है। इस वक़्त में क़लम को नीचे रखकर आँखें

बन्द भी की जा सकती थीं। हर वक़्त बोलना या लिखना ज़रूरी होता है क्या, लेकिन इतने बड़े हमले के बाद सीआरपीएफ ने अपने शहीदों की याद में ऐलान किया है 'न भूले हैं और न भूलेंगे'। फिर एक स्तम्भ सिर्फ़ उन्हें ही समर्पित क्यों न हो, जो लौट के नहीं आयेंगे।

बिहार के एक गाँव का आम आदमी कह रहा है कि गर्भवती बहू को कैसे बताऊँ, पोते को कैसे सँभालूँ। मीडिया के कैमरों के सामने उसके आँसू नहीं हैं। उसकी हिम्मत के आगे पक्ष–विपक्ष, नेता और पत्रकार सब चुप हैं। उसके सामने बोलने के लिए कैमरा तब आया है जब उसके पास बोलने के लिए कुछ है ही नहीं।

दहशतगर्दों ने एक झटके में पूरे देश को दहलाने की कोशिश की, लेकिन यह इस देश का जज़्बा है कि टूटने के बजाय वह अचानक से बहुत मज़बूत दिखने लगा। प्रधानमन्त्री से लेकर राहुल गाँधी तक सब एकजुट हुए। दहशतगर्दों का मक़सद ही यही था कि ऐन चुनावी वक़्त में पूरा देश टूट जाये। आरोप–प्रत्यारोप में सब एक–दूसरे को नोचने लगें। लेकिन न हिन्दुस्तान की हुकूमत ने ऐसा किया और न अवाम ने।

यह वह मिट्टी है जहाँ सेना के एक–एक जवान से पूरे देश का रिश्ता होता है। सेना का एक जवान पूरे देश का बेटा और भाई होता है। सेना न कांग्रेस की है और न भाजपा की। सेना हिन्दुस्तान के नागरिकों की है। अपने आसपास नज़रें दौड़ाइए, किसानी पट्टी से आने वाले लोगों ने ही इस देश को सबसे ज़्यादा जवान दिये हैं। खेतों की मिट्टी से ही वो जवान पैदा हुए जो सीमा पर जाकर देश के लिए खड़े होते हैं। कांग्रेस और भाजपा ही नहीं, हर हिन्दुस्तानी चाहता है कि उसके देश की सेना सबसे ज़्यादा मज़बूत हो। उसे कांग्रेस और भाजपा की सरकार पर भरोसा हो या नहीं, लेकिन उसे अपनी सेना पर पूरा भरोसा है।

अभी हम सामना कर रहे हैं रोती–बिलखती बेवा औरतों का, पिता की राह तकते बच्चों का और बेटे का जनाज़ा उठाते बुजुर्ग कन्धों का। इनका तो डीएनए ही ऐसा है कि अपना दर्द छुपाकर कह रहे हैं, मुझे मेरे पति, पिता और बेटे की शहादत पर गर्व है। वे अपने आँसुओं को देश के नाम कुर्बान कर रहे हैं। यह देश के नागरिकों का जज़्बा ही है कि बेटे की चिता को आग देने जा रहा बाप बोलता है कि वह अपने दूसरे

बेटे और पोते–पोतियों को भी सेना में भेजना चाहता है। बेवा बोलती है कि मेरा पति नहीं रहा तो मुझे ही सरहद पर भेज दो। ये सब असली हिन्दुस्तान के असली संवाद हैं।

मुम्बई पर हुआ आतंकवादी हमला भी आज याद आ रहा है। किस तरह मुम्बईकरों ने एक साथ उठकर आतंकवादियों के मंसूबों पर पानी फेर दिया था। आज भी पर्यटक जब मुम्बई जाते हैं तो ताज होटल के उस हिस्से के पास तस्वीरें खिंचवाते हैं जिस पर अभी भी हमले के निशां मौजूद हैं। हमले के प्रतीक के साथ जब हँसता–खिलखिलाता जोड़ा सेल्फ़ी लेता है तो यह मुस्कान उन शहीदों को सलाम करती है जिनकी वजह से मुम्बई आज भी तेज़ गति से बैखौफ़ होकर दौड़ रही है।

दहशतगर्दों का मंसूबा ही होता है ऐसे हमलों से देश को तोड़ना। नागरिकों का हौसला तोड़कर देश को बेपटरी करना। तो हमें उनके मंसूबों को पूरा नहीं होने देना है। शहीदों की बात करते हुए निर्माण मज़दूर सिर पर ईंट ढो रहा है और ऑटो चालक पीछे बैठी सवारी को बता रहा है कि हमारे गाँव का बेटा भी शहीद हुआ है, हमें बहुत गर्व है, इस बार गाँव जायेंगे तो उसके घर ज़रूर जायेंगे। हमारे गाँववालों ने फ़ैसला कर लिया है कि गाँव के प्रवेश–द्वार पर उसकी आदमक़द मूर्ति लगायेंगे। ऑटोवाला बताता है कि वह भी सेना में भर्ती होना चाहता था, लेकिन ऐसा हो नहीं पाया।

ऑटोवाले की यही बातें बताती हैं कि शोक के समय में हम प्रेम से इकट्ठा होना नहीं भूले हैं। 40 जवानों की शहादत के बाद भी उसे मलाल है कि वह सेना में भर्ती नहीं हो पाया। यह इन्हीं भावनाओं को सहेजने का समय है। स्कूलों में फैंसी ड्रेस प्रतियोगिता में बच्चे सबसे ज़्यादा 'सोल्ज़र' बनना पसन्द करते हैं। देश के हर अभिभावक को अपने बच्चे के लिए नन्ही फ़ौजी ड्रेस ख़रीदनी ही होती है। मेले या दुकान में जाकर 'सोल्ज़र अंकल' वाली बन्दूक़ दिलानी ही पड़ती है। देश के किस बच्चे ने न गाया होगा कभी 'नन्हा–मुन्ना राही हूँ, देश का सिपाही हूँ, बोलो मेरे संग जय हिन्द'।

आज राहुल गाँधी की भाषा में वही फैंसी ड्रेस प्रतियोगिता में 'देश का सिपाही हूँ' गाते हुए बच्चे जैसी सहृदयता दिखी। चुनावी बुख़ार में

तप रहे देश के लिए इससे बेहतर पाठ क्या हो सकता है। हम उम्मीद करेंगे कि गलतियों से सबक लेकर सरकार ने जो ऐलान किया है वह उसे पूरा करेगी। 40 जवानों की शहादत के सम्मान में आज पूरे देश के साथ एक ही बात कही जा सकती है–जय हिन्द, जय हिन्द की सेना।

16 फ़रवरी 2019

2019 का पाठ आठ सरहद पार से आया है। जम्हूरियत को कमज़ोर कर जब आप फ़ौज का प्यादा बनेंगे तो आपके मुँह से निकला 'नया पाकिस्तान' शब्द आपको ही तमाचा मारता दिखेगा। भारत–पाक से लेकर पूरी दुनिया ने आपको सुना और यही महसूस किया कि फ़ौज की इस कठपुतली के पास शहीद हुए जवानों को श्रद्धांजलि देने के लिए दो शब्द भी नहीं थे। इमरान ख़ान का हश्र तो पूरी दुनिया के लिए चुनावी पाठ है कि जो जनता का नहीं होगा, वह देश के अगुआ की हैसियत हासिल भी नहीं कर पाता है। बेबाक बोल में इस बार का पाठ उस पड़ोसी देश से जिसे हम बदल नहीं सकते और जो दोस्त बनना चाहता नहीं।

फ़ौजी प्यादा

पाकिस्तान को इससे क्या फ़ायदा है? अगर हर बार आपको यही करना है तो आप बार–बार यही करते रहेंगे। मैं बार–बार कह रहा हूँ कि ये नया पाकिस्तान है। पाकिस्तान तो ख़ुद ही दहशतगर्दों से परेशान रहा है।

–इमरान ख़ान

पाकिस्तान के वजीर–ए–आज़म पुलवामा हमले के बाद देर से तो बोले मगर दुरुस्त नहीं बोले। यह इंटरनेट युग है। क्रिकेट के मैदान से निकलकर फ़ौज की भाषा बोल रहे प्रधानमन्त्री की दैहिक से लेकर शाब्दिक भाषा किसी देश के अगुआ की नहीं लग रही थी। आपके पड़ोसी देश में 40 जवान शहीद हुए हैं, पूरा देश शोक में डूबा है लेकिन आपने सन्देश की शुरुआत में श्रद्धांजलि और संवेदना के दो शब्द भी नहीं बोले। आप कोई टीवी प्रस्तोता नहीं, क्रिकेट खिलाड़ी नहीं, फ़ौजी अफ़सर नहीं, बल्कि पाकिस्तान के वज़ीर–ए–आज़म हैं। आपके मरे हुए शब्दों से अहसास हुआ कि एक ज़िन्दा क़ौम को कैसे धीरे–धीरे मौत की ओर धकेला जाता है।

इमरान ख़ान ने पूछा कि पाकिस्तान को इससे क्या फ़ायदा है? यही बात तो तरक़्क़ीपसन्द और अमन की आशा वाले लोग सालों से समझा रहे हैं कि आतंकवाद की खेती का पाकिस्तान को कोई फ़ायदा नहीं है। पुलवामा हमले के बाद दुनिया की नज़रों में बहुत ज़्यादा गिर गया है पाकिस्तान। पाक के पूर्व राष्ट्रपति आसिफ़ अली जरदारी ने ही इमरान ख़ान की सरकार से सवाल पूछा है कि क्या आज आपको दुनिया में एक भी अन्तरराष्ट्रीय दोस्त दिखाई देता है? उन्होंने पाक मीडिया के सामने बयान दिया कि अन्तरराष्ट्रीय समुदाय में

पाकिस्तान अलग–थलग पड़ गया है। इसके साथ ही उन्होंने इमरान सरकार को ज़मीनी सच्चाई से रू–ब–रू कराते हुए कहा कि कुछ मुसलिम देशों के सहयोग को अन्तरराष्ट्रीय सहयोग नहीं माना जा सकता है। जरदारी ने ईरान में हुए घटनाक्रम पर ज़ोर दिया जहाँ आतंकी हमले में 27 सैनिक मारे गये हैं। इस आतंकवादी हमले के बाद ईरान की सरकार ने भी पाकिस्तान को चेतावनी दी है। जरदारी पाक हुकूमत को इशारों में समझा चुके हैं कि आपके पास नक़ाबपोश आतंकवादी हैं और ईरान के पास बड़ी संख्या में प्रशिक्षित सेना।

अफ़ग़ानिस्तान भी संयुक्त राष्ट्र सुरक्षा परिषद में अपने पड़ोसी और आतंकवादियों की महफूज पनाहगाह पाकिस्तान के ख़िलाफ़ गुहार लगा चुका है। अफ़ग़ानिस्तान सरकार ने आरोप लगाया है कि उसे शामिल किये बिना पाक हुकूमत तालिबान के लोगों से बातचीत कर रही है। उसका कहना है कि जब संयुक्त राष्ट्र तालिबान पर प्रतिबन्ध लगा चुका है तो इस तरह की बातचीत करना अन्तरराष्ट्रीय नियमों का उल्लंघन है। आतंकवादियों के ज़ख़्म से कराह रहा अफ़ग़ानिस्तान, पाकिस्तान में आतंकवाद के ख़िलाफ़ जल्द कड़े क़दम उठाने की अपील कर रहा है।

भारत के पूर्व प्रधानमन्त्री अटल बिहारी वाजपेयी ने पाकिस्तान से संवाद की हिमायत करते हुए कहा था कि हम दोस्त बदल सकते हैं अपना पड़ोसी नहीं। भारत से लेकर ईरान और अफ़ग़ानिस्तान तक इस पड़ोसी से परेशान हैं। कभी सभ्यता और संस्कृति के एक मुकाम पर पहुँच चुका अफ़ग़ानिस्तान आज आतंकवाद के कारण मौत के खँडहर में बदल चुका है। ईरान के रिवॉल्यूशनरी गार्ड्स के कमांडर ब्रिगेडियर जनरल मोहम्मद पाकपौर ने साफ़–साफ़ कहा कि पाकिस्तानी सरहद से लगते ईरान के सिस्तान–बलूचिस्तान प्रान्त में 13 फ़रवरी को फ़िदायीन हमला करने वाले का नाम हफ़ीज़ मोहम्मद अली था और वह पाकिस्तानी था। साज़िश के तहत यह हमला 11 फ़रवरी को होना था, जिस दिन ईरान की इस्लामी क्रान्ति की 40वीं वर्षगाँठ मनायी गयी थी। सुरक्षा बलों की मुस्तैदी के कारण उस दिन आतंकवादियों के मंसूबे पूरे नहीं हुए। ईरानी सरकार का कहना है कि जैश–अल–अदल (इन्साफ़ की फ़ौज) नाम के जेहादी संगठन ने हमले की ज़िम्मेदारी ली है, जो पाकिस्तान में है।

आतंकवाद को लेकर पड़ोसी आगाह कर रहे हैं और जनाब इमरान ख़ान पुलवामा हमले के बाद कह रहे हैं कि यह 'नया पाकिस्तान' है।

ख़ान साहब को शायद इस बात का अहसास नहीं कि 'नया' शब्द बोलना और लिखना जितना आसान है उसे रचना उतना ही मुश्किल। और यह कैसा 'नया पाकिस्तान' है जिसकी ज़मीन से जैश–ए–मोहम्मद का आतंकवादी सीना ठोंककर भारत में हुए हर बड़े आतंकवादी हमले की ज़िम्मेदारी लेता है। अगर आपके शासन में जैश–ए–मोहम्मद फल–फूल रहा है तो क्या यह 'नया पाकिस्तान' है।

इमरान ख़ान को बेनज़ीर भुट्टो की याद है? सलमान तासीर की याद है? सेना के स्कूल में मारे गये बच्चों की याद है? ये तो कुछ ही नाम हैं। 2001 से 2011 के दौरान पाकिस्तान में ही आतंकवाद के कारण 35 हज़ार से ज़्यादा लोग मारे गये हैं। पाकिस्तान में मध्य वर्ग से ऊपर उठे हुए लोग अपनी मज़बूत आर्थिक हैसियत का सबसे पहला इस्तेमाल अपने बच्चों को विदेश में पढ़ाने के लिए करते हैं। भारत के ख़िलाफ़ ज़हर उगल रहा पाक मीडिया और वहाँ की फ़िल्में बता रही हैं कि पाकिस्तान किस बर्बर युग में जी रहा है।

इस नये पाकिस्तान में मसूद अजहर के लिए तो मखमली कालीन बिछी है और मलाला यूसुफ़जई के लिए जानलेवा हमला। स्वात घाटी में स्कूली डायरी में लिखे सपने पढ़ने का इमरान साहब को वक़्त नहीं मिला होगा। पूरी दुनिया उसके सपनों को पढ़ रही थी लेकिन तालिबानी आतंकवादियों को स्कूल जाती और सपने देखती बच्ची मंजूर नहीं थी। तालीमशुदा होने के 'जुर्म' में आतंकवादियों ने उसके सिर को गोलियों का निशाना बनाया। यह उस बच्ची की जिजीविषा थी कि दहशतगर्दों के हौसले पस्त कर पूरी दुनिया में शान्ति की मिसाल बन गयी।

मलाला आज विदेश में रहती है। वह तो अपनी घाटी में अपने माँ–बाप के साथ ही सपने देखना चाहती थी। लेकिन आतंकवादियों ने उसके सपनों की ज़मीन छीन ली। वह ज़िन्दा सबूत है इस बात का, कि आतंकवाद से आपको कोई फ़ायदा नहीं। मलाला ज़िन्दा है, लेकिन अनगिनत ऐसे बच्चे हैं जो आज भी स्कूल की राह नहीं देख पा रहे, या स्कूल की राह पर ही क़त्ल कर दिये जा रहे हैं।

पाकिस्तानी हुकूमत को बुरहान वानी जैसे आतंकवादियों की फ़िक्र छोड़ स्कूल जाते बच्चों की फ़िक्र करनी चाहिए। ख़ान साहब के पूर्ववर्ती

नवाज़ शरीफ़ को बुरहान वानी को संयुक्त राष्ट्र में 'इंतिफ़ादा' (फिलिस्तीन के सन्दर्भ में शहीद) घोषित करने की फ़िक्र ज़्यादा थी। नवाज़ शरीफ़ अगर बुरहान वानी का नाम छोड़ मलाला यूसुफ़जई को याद करते तो पता चलता कि संयुक्त राष्ट्र में बुरहान वानी को नहीं पाकिस्तान की उस नन्ही तालिम की फ़ौजी को जगह मिली है। इमरान साहब भी गूगल करेंगे तो उन्हें मलाला दिवस के बारे में पता चलेगा। संयुक्त राष्ट्र ने इस बहादुर लड़की के जन्मदिन 12 जुलाई को मलाला दिवस घोषित किया है। पाकिस्तानी आतंकवादियों से ज़िन्दा बची वो बच्ची आज युवा हो चुकी है और पूरी दुनिया में आतंकवाद के ख़िलाफ़ बुलन्द आवाज़ बनी हुई है।

आज अमन की आशा वाले पाकिस्तानी युवा इंटरनेट पर कह रहे हैं, 'मैं एक पाकिस्तानी हूँ और पुलवामा पर हुए आतंकी हमले की निन्दा करता/करती हूँ।' इन युवाओं को पता है कि पूरी दुनिया में पाकिस्तान के लिए कहीं भी 'नया' शब्द का इस्तेमाल नहीं किया जा रहा है। फ़ौज के इशारों पर चल रही कठपुतली सरकार की कमज़ोरी का खमियाज़ा पूरी दुनिया में बसे पाकिस्तानी भुगत रहे हैं। जब मलाला शान्ति का सन्देश लेकर आयी तो उसे पूरी दुनिया का प्यार मिला। आज भी मलाला का सपना पाकिस्तान लौटकर वहाँ के लिए काम करना है। इमरान ख़ान के कथित नये पाकिस्तान ने मलाला की जगह मसूद अजहर को चुना है तो पूरी दुनिया पाकिस्तान के लिए नफ़रत ही चुनेगी, उसे यह समझ लेना चाहिए।

23 फ़रवरी 2019

ऐबटाबाद में अमेरिका घुसा और अपने नागरिकों के हत्यारे की लाश को लेकर लौट गया। दहशतगर्दों की पनाहगाह बने पाकिस्तान ने अपने नक़्शे और झण्डे की शान गँवा दी थी। लेकिन फ़ौज के प्यादे बने पाकिस्तानी हुक्मरानों ने इससे कोई सबक नहीं सीखा तो दूसरा पाठ भारत को पढ़ाना पड़ा। पाकिस्तान की ज़मीन पर जाकर अपने जवानों के ख़ून का बदला लिया और अपने जांबाज़ फ़ौजी की वापसी करायी। इमरान ख़ान परमाणु हथियार पर फ़ैसले लेने वाले अधिकारियों की बैठक वाली तस्वीरों से डराने के बाद शान्ति की बात करने को मजबूर हुए। भारत और पाक का फ़र्क़ यह रहा कि भारत ने दहशतगर्दों पर हमला बोला तो पड़ोसी ने भारत की सम्प्रभुता पर। बहादुरी के मेडल अभिनन्दन के कन्धों की शोभा बढ़ायेंगे, पर उन दहशतगर्दों के नाम कभी बाहर नहीं आयेंगे जिन्हें पाक की मिट्टी में मिलाया गया। पाठ नौ भी सरहद पार से। हम यह नहीं जानते कि अजमल कसाब को जन्नत नसीब हुई या नहीं, लेकिन उसे मरने के बाद एक ऐसा वतन नसीब नहीं हुआ था जो उसे अपना नागरिक माने। वतनपरस्ती और दहशतगर्दी के बीच छिड़ी जंग में दोहरी जीत पर बेबाक बोल में हिन्द की सेना को सलाम।

वतन का वक़्त

हमने पिछली बार यही कहा कि कुछ समय ऐसा होता है जब आपसे बस एक ज़िम्मेदार नागरिक होने की तवक्को की जाती है। आज ख़ास की माँग वाले समय में आम होना बहुत आसान नहीं है। चाहे आप बहुत बड़े नेता, वक्ता, स्तम्भकार, पत्रकार या किसी भाषा के विशेषज्ञ हों। लेकिन हर वक़्त आपका नहीं होता। एक समय ऐसा आता है जब आपको उस देश के आम नागरिक की तरह व्यवहार करना होता है जिसका झण्डा आपकी पहचान बनता है, जिसका नक़्शा आपका मान बढ़ाता है और जिसका राष्ट्रीय गान आपका सम्मान बन जाता है। फ़िलहाल हमारा देश जिन हालात से गुज़र रहा है उस समय आपको अपने उस नेतृत्व पर भरोसा करना होता है जिसे जनता ने लोकतान्त्रिक तरीक़े से चुनकर तन्त्र और लोक की सुरक्षा का ज़िम्मा सौंपा है। आज का समय सिर्फ़ और सिर्फ़ सेना के साथ होने का है। समय की माँग यही है कि देश का हर नागरिक तेरा–मेरा छोड़ एकजुट हो भारत की मज़बूत दीवार बने।

पुलवामा पर आतंकवादी हमले के बाद पाक की नापाक हरकतों का करारा जवाब ज़रूरी था। भारतीय सेना की यही विशेषता है कि वह सत्ता विशेष की नहीं पूरे देश की है। उस पर किसी तरह का राजनीतिक दबाव नहीं है। पुलवामा पर आतंकवादी हमले के बाद भारतीय वायुसेना ने पाकिस्तान के उस इलाके पर लक्षित हमला किया जहाँ जैश–ए–मोहम्मद के दहशतगर्दों ने पनाह ले रखी थी। उसके बाद भारतीय सेना का ज़िम्मेदाराना बयान यही था कि हमने सिर्फ़ आतंकी शिविरों को निशाना बनाया और कोई आम नागरिक हताहत नहीं हुआ। हमारी सेना से यही उम्मीद थी। सेना का मक़सद युद्ध छेड़ना नहीं बल्कि युद्ध के कारण बन रहे आतंकगाह को ख़त्म करना था। भारतीय सेना बहादुरी से गयी और

अपने जवानों के ख़ून का बदला लेकर आयी। भारत की इस बहुत ज़रूरी कार्रवाई पर पूरी दुनिया उसके साथ थी।

पुलवामा के शहीद जवानों पर पूरा देश गर्व कर रहा था, उन चालीस जवानों के नाम कश्मीर से लेकर कन्याकुमारी तक गूँज रहे थे जो पाकिस्तान समर्थित आतंकवादी के हमले में शहीद हुए। लेकिन पाकिस्तान में भारत के लक्षित हमले के बाद राख हुए आतंकवादी शिविरों से कोई नाम बाहर नहीं निकल पाया। इसलिए नहीं निकल पाया कि वे न तो सेना के जवान थे और न आम नागरिक। वे पाकिस्तानी फ़ौज और सरकार के समर्थित आतंकवादी थे। दहशतगर्दों को जब मिट्टी में मिलाया जाता है तो वे सिर्फ़ मिट्टी होते हैं, किसी पहचान के क़ाबिल ही नहीं रहते। उनकी क़ब्र पर जन्नतनशीं होने का फ़ातिहा नहीं पढ़ा जाता, जबकि बहुत जल्द ही बहादुरी के मेडल हमारे जांबाज़ अभिनन्दन के सीने की शान बढ़ायेंगे। सीमा पार से आतंकवादी हमला करने आये कसाब को जन्नत नसीब हुई कि नहीं, यह तो पता नहीं कर सकते, लेकिन मरने के बाद उसे एक ऐसा देश नसीब नहीं हुआ जो कहे कि यह हमारा नागरिक है, कोई ऐसा झण्डा नहीं था जो उसकी पार्थिव देह पर लपेटा जा सके।

जब अमेरिका के कमांडो पाकिस्तान के ऐबटाबाद में घुसे थे तो क्या इज़्ज़त रह गयी थी पाक हुक्मरानों की दुनिया के दायरे में। ओसामा बिन लादेन को पनाह देनेवाले उसकी लाश तक रखने के क़ाबिल नहीं थे। पाकिस्तानी झण्डा, पाकिस्तानी नक़्शा एक दहशतगर्द को पनाह देने के लिए झुका दिया गया था। पाकिस्तान की स्कूली किताबों में ऐबटाबाद अभियान का किस तरह ज़िक्र किया गया होगा या जायेगा यह पता नहीं। दुख है कि ओसामा बिन लादेन के सबक को पाक हुकूमत इतनी जल्दी भूल गयी। पाकिस्तानी सम्प्रभुता को अमेरिका ने रौंद डाला क्योंकि उसे अपने नागरिकों को बताना था कि अमेरिकी सम्प्रभुता क्या चीज़ है। 9/11 हमले के बाद जो अमेरिका ने किया, पुलवामा के बाद वही भारत ने भी किया।

पुलवामा पर आतंकवादी हमले के बाद भारत सरकार को राजनीतिक क़दम उठाने या राजनीतिक सम्प्रभुता दिखाने की ज़रूरत नहीं थी। यह देश की सुरक्षा का गम्भीर मसला था जो हर एक नागरिक से जुड़ा था। सैन्य ताक़त के ज़रिये ही देश का मनोबल बढ़ाया जा सकता था।

भारतीय वायुसेना ने पाकिस्तान के अन्दर घुसकर आतंकवादियों पर बम गिराये। आम तौर पर पाकिस्तानी सेना ऐसे हमलों को ख़ारिज कर देती है और उसे सरकार के सामने जवाबदेह भी नहीं होना पड़ता है। उड़ी के बाद किये गये भारत के लक्षित सैन्य हमले को उसने नहीं माना। लेकिन पाकिस्तान में बालाकोट पर भारतीय वायुसेना के हमले को पाकिस्तानी फ़ौज और सरकार ने स्वीकार किया।

बालाकोट के पहले दो मौक़े ऐसे थे जब पाकिस्तानी सेना को अपनी ज़मीन पर नाकामी के लिए जवाबदेह होना पड़ा था। पहला मौक़ा था 1971 के युद्ध में जब 93 हज़ार पाकिस्तानी सैनिकों ने समर्पण कर दिया था। दूसरी बार ऐबटाबाद का मामला हुआ जिसने पूरी दुनिया में पाकिस्तान को बेनकाब कर दिया। अमेरिकी कमाण्डो पाकिस्तान में घुसे और बिना कोई खरोंच लगे ओसामा बिन लादेन की लाश लेकर लौट गये। पाकिस्तानी फ़ौज को तो अमेरिकी जनसंचार के साधनों से ही पता चला कि वहाँ क्या हुआ था।

1971, ऐबटाबाद के बाद एक बार फिर से भारतीय वायुसेना ने पाकिस्तानी फ़ौज के अहंकार को नेस्तनाबूद किया है। भारतीय वायुसेना के जहाज़ 21 मिनट तक पाकिस्तानी दहशतगर्दों को ठिकाने लगाते रहे और पाक फ़ौज को पता भी नहीं चला। यह तो अहसास था ही कि पाकिस्तानी फ़ौज अपना वजूद बचाने के लिए फिर कुछ नापाक हरकत करेगी और उसने की भी। दहशतगर्दों पर हमला करने के बजाय उसने भारतीय वायुसेना क्षेत्र में हमला किया। इसके साथ ही इमरान ख़ान के प्रचार तन्त्र ने परमाणु हथियारों पर बैठक वाली तस्वीरें जारी कर एटमी हमले की धमकी भी देनी चाही। पाकिस्तानी दहशतगर्द तो आज़ाद घूम रहे थे लेकिन भारतीय वायुसेना के एक विंग कमाण्डर को पाकिस्तानी फ़ौज ने अपने क़ब्जे में ले लिया। आतंक के ख़िलाफ़ और मानवता के पक्ष में क़दम उठाने वाली भारत सरकार ने इस बार दोहरी जीत पायी। पाकिस्तान में दहशतगर्दों के ख़ात्मे के साथ अपने फ़ौजी की शान से वापसी कराई।

पाठ नौ भी सरहद पार की हुकूमत और इमरान ख़ान के लिए ही है। जनता के वोट से चुनकर फ़ौज के इशारों पर नाचने वाले नेताओं का बुरा हश्र पाकिस्तान के समसामयिक इतिहास में दर्ज है। फ़ौज तो

महफूज रहती है लेकिन उसकी कठपुतली बना नेता या तो मार दिया जाता है या जेल की सलाखों के पीछे होता है। अयूब खान, याहया खान, भुट्टो से लेकर परवेज़ मुशर्रफ़ और नवाज़ शरीफ़ का हश्र याद करें ख़ान साहब। आपके पूर्ववर्ती बस अयूब ख़ान से ही सीख लेते तो आज ग्लोब पर पाकिस्तान का नक़्शा आतंक के गन्दे धब्बे की शक्ल नहीं अख़्तियार करता। इमरान ख़ान क्रिकेट के खिलाड़ी रहे हैं लेकिन आज तो उनके खिलाड़ियों को हम अपने खेल के मैदान पर भी बुलाना पसन्द नहीं करते, क्योंकि सबको पता है कि वहाँ के सारे खेल और खिलाड़ी फ़ौज ही तय करती है। इमरान ख़ान अभी तक अपने पूर्ववर्तियों की तरह इसी गफ़लत में हैं कि सेना के पिच से कोई चौका और छक्का लगा लेंगे। लेकिन पाकिस्तान के पिछले पाठ बता रहे कि इस फ़ौजी प्यादे की एक ही नियति है, क्लीन बोल्ड।

2 मार्च 2019

लोकतान्त्रिक देशों की ख़ूबसूरती यही है कि सेना को कम–से–कम बैरक से निकलना पड़े। यहाँ सेना किसी सत्ता विशेष की नहीं बल्कि देश की होती है। पुलवामा पर आतंकवादी हमले के बाद सेना ने अपना जोश दिखाया लेकिन हमारे नेता होश खो बैठे। कहीं पर अभिनन्दन के पोस्टर को चुनावी प्रचार की जीप के बोनट पर बाँध दिया गया तो कोई उन्हें इसलिए सलाम करने लगा कि उनकी तैनाती यूपीए शासनकाल में हुई थी। वहीं अभिनन्दन के जयकारे के बीच युद्ध का यल्गार करने वालों को जापान भी याद रखना चाहिए जिसने मानवता का सबसे बड़ा ज़ख़्म झेला। द्वितीय विश्वयुद्ध के बाद आर्थिक मन्दी से तो हम उबर गये लेकिन मानवीय मूल्यों की मन्दी से अब तक नहीं उबरे हैं। सेना पर हो रही सियासत के ख़िलाफ़ बेबाक बोल।

सेना पर सियासत

'आइ एम नॉट सपोज़्ड टु टेल यू दिस'...

यह किसी हालीवुड या बालीवुड के नायक का संवाद नहीं, न ही कितने आदमी थे रे वाले किसी खलनायक का तकिया कलाम। यह भारतीय वायुसेना के एक विंग कमाण्डर का दुश्मन फ़ौज के क़ब्जे में दिया गया बयान है। यह बयान देते वक़्त अभिनन्दन बहुत ज़ख़्मी थे, आँखों पर पट्टी बँधी थी और उन्हें कुछ अन्दाज़ा नहीं था कि आगे उनके साथ क्या किया जा सकता है। आँखों पर पट्टी ज़रूर बँधी थी मगर उनकी रीढ़ की हड्डी सीधी थी और ज़ुबान एकदम सहज।

आइ एम नॉट सपोज़्ड टु टेल यू दिस...कहने वाले अभिनन्दन 27 फ़रवरी के पहले ख़ामोशी से वायुसेना में नौकरी कर रहे थे। पाकिस्तान में बालाकोट पर भारतीय वायुसेना के हमले के बाद सीमाई क्षेत्र में तैनात थे। मिग विमान से दुश्मन देश के आधुनिक विमान को पुरज़ोर टक्कर दी और विमान के क्षतिग्रस्त होने से पहले पैराशूट की मदद से निकलते वक़्त यह नहीं मालूम था कि सरहद के किस पार गिरेंगे। यह पता चलते ही कि वे अब पाकिस्तान की सीमा में हैं, जल्दी से संवेदनशील दस्तावेज़ों को निगला और कुछ को पास के तालाब में नष्ट करने की कोशिश की। उनके पास पिस्तौल थी लेकिन हमलावर हुए पाकिस्तानी नागरिकों पर गोली नहीं चलाई। पाकिस्तानी सेना के क़ब्जे में आये और अन्तरराष्ट्रीय नियमों के तहत ज़रूरी जानकारी देकर, आगे के सवाल पर वही कहा जो आज देश का बच्चा–बच्चा दोहरा रहा है।

आइ एम नॉट सपोज़्ड टु टेल यू दिस...कह अभिनन्दन तो इतिहास में अपना नाम सुनहरे अक्षरों में दर्ज करवा गये लेकिन अपनी–अपनी राजनीति के तहत उनका अभिनन्दन करने वाले क्या कह रहे हैं? वो जो

कह रहे हैं क्या उनसे इस तरह की बातों की उम्मीद थी। जो सरकार में हैं वो अपनी चुनावी रैलियों में अभिनन्दन की तस्वीर के पोस्टर लगा रहे हैं। अभिनन्दन की ईमानदारी और बहादुरी को अपने नाम कर रहे हैं। प्रचार के वाहनों पर अभिनन्दन के पोस्टर हैं। दिल्ली में भाजपा नेता अभिनन्दन की शान में मोटरसाइकिल रैली निकालते हैं तो सेना के रंग और छापे वाली वर्दी पहनकर। आम तौर पर सेना की आचार संहिता यही कहती है कि उसकी वर्दी का इस्तेमाल किसी निजी आयोजन के लिए न किया जाये। लेकिन विपरीत हालात में भी अभिनन्दन जैसे निडर जांबाज़ के वीडियो देखकर भी हम उनसे कुछ सीख नहीं पाये। अभिनन्दन आज देश के नायक इसलिए हैं कि उन्होंने बस अपना काम ईमानदारी और सहजता से किया। बस ख़ास–ख़ास की माँग होने वाले समय में अभिनन्दन यही बताते हैं कि नायक होने के लिए आपका आम होना कितना ज़रूरी है।

अब विपक्ष के वरिष्ठ नेता का बयान देखते हैं। कांग्रेस के नेता सलमान खुर्शीद अपने ट्वीट में कहते हैं, 'विंग कमाण्डर अभिनन्दन, जो अब भारत के जवाबी हमले का चेहरा बन चुके हैं, का बहुत–बहुत अभिनन्दन। कष्ट के क्षणों में स्थिरता और आत्मविश्वास। हमें गर्व है कि वे 2004 में वायुसेना में नियुक्त हुए और यूपीए के कार्यकाल में एक परिपक्व फाइटर पायलट बने।' अभिनन्दन की तैनाती को अपने शासनकाल से जोड़कर देखने की यह भावना किस श्रेणी में आयेगी। दोनों पक्ष कह रहे कि शहीद और सेना के मामलों में राजनीति न करें लेकिन दोनों पक्षों की राजनीति पुरज़ोर है।

राष्ट्रीय राज्य की अवधारणा के बाद लोकतान्त्रिक देशों में सेना का अपना महत्त्व है। यह वैसी अवधारणा है, जहाँ सेना तब तक बैरक में रहती है जब तक देश के लोगों को उनकी ज़रूरत नहीं पड़ती। हर लोकतान्त्रिक और सही सोच–समझ वाला देश कोशिश यही करता है कि सेना को अपने शिविरों से न निकलना पड़े, देश के लोगों को उनकी ज़रूरत न पड़े। जिनकी ज़रूरत न पड़ने की दुआएँ की जाती हैं उनकी ज़रूरत देश और उसके लोगों के लिए कितनी अहम होगी इसका अन्दाज़ा लगाया जा सकता है। इसलिए सेना जैसी संस्थाओं को देश के लिए ही रहने देना चाहिए, उन्हें देश की राजनीति से दूर रखना चाहिए।

इस बार का चुनावी पाठ यही है कि अगर सेना का राजनीतिकरण किया जायेगा तो आपकी आवाज़ वैसे पड़ोसी देशों के टीवी चैनलों पर गूँजेगी जो पड़ोसी होकर भी दोस्त नहीं बने रहना चाहता। दुश्मन का दुश्मन दोस्त की तर्ज़ पर आपके बयान अगर उनके टीवी चैनलों पर दिखाये जाते हैं तो आपको सोचना चाहिए कि आपसे कहाँ ग़लती हो रही है। चुनावी समय और सेना के पराक्रम का एक साथ आमना–सामना होने पर आपको क्या कहना है इसका अनुशासन आपको अभिनन्दन जैसे फ़ौजी से सीख लेना चाहिए। सेना का दूसरा नाम अनुशासन भी है। क्या, कैसे, कब और कहाँ करने का अनुशासन। अगर आप इस अनुशासन का पालन नहीं करते हैं तो सेना के जयकारे लगाने का कोई मतलब नहीं है।

राजनेताओं से लेकर मीडिया के कई माध्यमों की यही दिक़्क़त है कि सेना के मामले में वे मेरी कमीज़, तेरी कमीज़ से सफ़ेद है वाली भाषा पर उतर जाते हैं। एक राजनेता दूसरे से कहने लगता है कि तुमने देश का, सैनिक का, शहीदों का अपमान किया है। एक सैनिक का जीवन कितना कठिन होता है उसकी ताज़ा मिसाल अभिनन्दन हैं और युद्ध कितना ख़तरनाक होता है उसके लिए हम भारत–पाक से थोड़ा आगे बढ़ जापान को देख लें। जब अमेरिका ने हिरोशिमा और नागासाकी पर परमाणु बम गिराया था तो सिर्फ़ सैनिक शहीद नहीं हुए बल्कि एक पूरी सभ्यता और संस्कृति का विनाश हुआ। एक भू–भाग पर हुए इस हमले ने युद्ध और मानवता को लेकर पूरा विमर्श बदल दिया था। द्वितीय विश्वयुद्ध के बाद आयी आर्थिक मन्दी पर तो क़ाबू पा लिया गया था, लेकिन मानवीय मूल्यों में आयी मन्दी से हम आज तक उबर नहीं पाये हैं। शायद इसलिए आज जापान युद्ध नहीं बुद्ध के पूजक देश के रूप में जाना जाता है।

सीमा पर जब मुश्किल समय आता है तो देश के अन्दर देशभक्ति दिखाने की जंग शुरू हो जाती है। लेकिन लोग भूल जाते हैं कि देशभक्ति का असली केन्द्र उन आम किसानों, निम्न और मध्यमवर्गीय परिवारों में है जो अपने बेटे को सेना में भेजते हैं। देशभक्ति उन लोगों में है जो ईमानदारी से मरीज़ों का ऑपरेशन करते हैं, कक्षाओं में बच्चों को पढ़ाते हैं, पुल और ऊँची इमारतें बनाते हैं, खेतों में फ़सल उगाते हैं, ऊँची इमारतों का निर्माण करते हैं। यह सब काम अगर ईमानदारी से कर लिए जायें तो अलग से देशभक्ति के प्रदर्शन की ज़रूरत नहीं। अभिनन्दन

के वायरल वीडियो की सीख यही है कि अपने तय किये काम को बिना मिलावट के करो।

अब जब कोई नेता चुनावी प्रचार की जीप के बोनट पर अभिनन्दन के पोस्टर को बाँध लेता है, कोई कहता है कि इस लहर से हम अपने राज्य की सभी सीटें जीत जायेंगे और कोई यह कि यह जवान हमारी सरकार के समय में नियुक्त हुआ था तो लगता है कि सेना के प्रदर्शन पर अपनी राय रखने में अभी हम बहुत अपरिपक्व हैं। पक्ष से लेकर विपक्ष तक सेना की सियासत कर रहे नेताओं को सुनाने के लिए ही शायद एक कलमकार ने लिखा है कि हम अपनी सरकार से प्यार किये बिना भी अपने देश से प्यार कर सकते हैं।

9 मार्च 2019

जब देश की सीमा पर ख़तरा बढ़ा हुआ है, बेरोज़गारी के आँकड़े परेशान कर रहे हैं उसी समय रिपोर्ट आती है कि 2019 का आम चुनाव भारत ही नहीं बल्कि पूरी दुनिया का सबसे महँगा चुनाव साबित हो सकता है। 2014 के आम चुनाव में लगभग साढ़े तीन खरब रुपये ख़र्च हुए थे। इस बार ढाई महीने के अन्तराल में इससे ज़्यादा ख़र्च किया जायेगा। राजनीतिक दल भी इस बार अपना चुनावी ख़र्च दोगुना कर सकते हैं। 11 अप्रैल से लेकर 19 मई तक चलने वाली लम्बी चुनावी प्रक्रिया क्या धनबल और बाहुबल को बढ़ावा नहीं देगी, यही सवाल पूछता बेबाक बोल।

बदलना हो तो

पाँच साल बाद जब अगले पाँच साल के लिए चुनावी प्रक्रिया का ऐलान सात चरणों में हुआ तो बरबस रॉबर्ट फ्रास्ट की वो पंक्तियाँ याद आती हैं जिनमें वे अपनी राह चुनने के फ़ैसले को याद करते हैं। कवि के मुताबिक़, जंगल में उन्हें दो रास्ते दिखे थे और आगे बढ़ने के लिए उन्होंने कम चला गया रास्ता चुना था। लम्बी उम्र बीतने पर कवि अपने आज में उसी निर्णय का नतीजा देखते हैं। एक शायर भी कुछ ऐसा ही भाव प्रकट कर गये थे कि उम्र–ए–दराज माँग कर लाये थे चार दिन/दो आरजू में कट गये, दो इन्तज़ार में। तो क्या संस्थागत ढाँचे में जरा–सा सुधार को देखने के लिए हमारी औसत उम्र कम पड़ने लगी है?

विकास, सुधार, डिजिटलीकरण के नारों के बीच सात चरणों में ढाई महीने में पसरा चुनाव। ख़ास कर उस समय जब राष्ट्र अपनी सीमाई सुरक्षा को लेकर सतर्क है। अभी–अभी हमारे 40 जवानों ने शहादत दी और उसके बाद भी शहीदों की चिताओं पर आँखें नम होने का सिलसिला जारी है। हर तरफ़ जहाँ युद्ध–युद्ध और बदला–बदला की आवाज़ गूँज रही थी, वहाँ हमारा नेता कैसा हो, फलाँ के जैसा हो के जयकारे लगने लगे। चुनावी पोस्टर पर नेताजी के साथ विंग कमाण्डर अभिनन्दन छा गये। आख़िर देश का एक सैनिक चुनावी पोस्टर ब्वॉय कैसे बन सकता है। ऐसा हुआ और इस पर चुनाव आयोग ने आपत्ति भी उठाई। लेकिन आपत्ति उठाने में इतनी देर कैसे हो गयी। अभिनन्दन के नाम पर देशद्रोही और देशप्रेमी का प्रमाणपत्र बाँटने वालों को इतना लम्बा वक़्त क्यों दिया गया। इसके लिए आचार संहिता लागू होने का इन्तज़ार क्यों?

इस बार बहुत से लोग कह रहे हैं कि पाँच साल कैसे बीत गये पता ही नहीं चला। पूरे पाँच साल देश में यहाँ चुनाव तो वहाँ सरकार बनाने

का समीकरण चलता रहा। हालिया समय में चुनाव सुधारों पर जितनी बहस हुई उससे एक उम्मीद जगी थी कि इस बार हम थोड़ा बेहतर होंगे। लेकिन तमिलनाडु से लेकर बिहार तक के चुनावी चरणों की बड़ी खाई बता रही है कि प्रशासनिक स्तर पर देश को एक तार से जोड़ने में हम कितने पीछे हैं। बिहार और उत्तर प्रदेश जैसे राज्यों को इतना लम्बा इन्तज़ार क्यों करना चाहिए यह समझ से परे है। तर्क तैयार है कि तमिलनाडु और बिहार की भौगोलिक स्थिति में अन्तर है। लेकिन तकनीक के सहारे हम इस अन्तर को भी नहीं पाट पाये तो क्या तकनीक सिर्फ़ भद्दे चुटकुलों को अग्रेषित करने भर के लिए है?

पिछले पाँच सालों का सबसे बड़ा फ़ैसला नोटबन्दी थी। देश के आम नागरिकों ने इसे ख़ुशी–ख़ुशी झेला क्योंकि इसके दो बड़े तर्क दिये गये थे काला धन और डिजिटलीकरण। मध्यम वर्ग ने इस काले धन को अपना दुश्मन मान इसे भ्रष्टाचार की धुरी घोषित किया था। इसलिए जब काले धन के ख़ात्मे की बात आयी तो देश की जनता नोटबन्दी के कष्टों को झेलने के लिए सहर्ष तैयार हो गयी। ख़ैर, सरकारी पक्ष ही बाद में कहने लगा कि नोटबन्दी का मुख्य उद्देश्य काला धन नहीं था। और, आज जब इतनी लम्बी चुनाव प्रक्रिया हमारे सामने है तो सवाल है कि इसका काले धन पर क्या असर होगा।

इस बात से इनकार नहीं किया जा सकता कि लम्बी चुनाव प्रक्रिया का फ़ायदा धनबली और बाहुबली उठाते हैं। फिर काले धन को अपना साम्राज्य स्थापित करने के लिए इतना लम्बा मैदान क्यों दिया गया। चुनाव सुधारों में सबसे अहम है धनबल पर रोक। लेकिन अब साफ़ दिख रहा है कि संस्थागत सुधार लाने में हम बहुत पीछे हैं। जब चुनावी प्रक्रिया के समय ही कालेधन पर क़ाबू पाने की कोशिश नहीं की जायेगी तो फिर हम आगे क्या उम्मीद कर सकते हैं। अगर चुनावों में धनबल का प्रयोग होगा तो उसका असर चुनाव के बाद की प्रशासनिक व्यवस्था पर पड़ेगा ही और पड़ता रहा है। इस बार इसके ख़िलाफ़ जो कड़े क़दम उठने की उम्मीद थी, वह भी अगली बार के लिए मुल्तवी कर दी गयी।

चुनावी तारीख़ों के ऐलान के साथ ही आयोग आचार संहिता का ऐलान करता है। लेकिन ऐन तारीख़ों के पहले कोई नियम–क़ानून लागू करवाने की पहल नहीं हुई। अमुक तारीख़ को इतने बजे तारीख़ों का

ऐलान होना है तो आयोग के प्रेस कॉन्फ्रेंस के पहले दनादन राजनीतिक दलों की प्रेस कॉन्फ्रेंस शुरू हो जाती हैं कि हमने इस परियोजना की बुनियाद रख दी तो हमने अपने राज्य में इस वर्ग को इतना फ़ीसद आरक्षण प्रदान कर दिया। क्या इन दलों से यह हिसाब माँगा जाता है कि इससे पहले आप क्या कर रहे थे। पाँच साल के आख़िरी दिनों में ही आधे–अधूरे निर्माणों के लाल फीते क्यों कटने लगते हैं। इसका असल मक़सद है बुनियाद या उद्‌घाटन के पत्थरों पर अपना नाम खुदवाना। क्या इसका कोई हिसाब होगा कि अन्तिम समय में आप किस तरह की परियोजनाओं की बुनियाद रख सकते हैं।

आज़ादी के बाद से ही सारी जनकल्याणकारी परियोजनाओं से लेकर हर फ़ैसले को सत्ता पक्ष द्वारा हड़पने की हड़बड़ी देखी जाती रही है। राजकाज चलाने के लिए जनता राजनीतिक दल के जनप्रतिनिधि को भेजती है। लेकिन सत्ता में जाने के बाद ये प्रतिनिधि कहते हैं कि जनता के लिए हमने ये किया। आपका काम ही यही करना था। चाहे कांग्रेस हो या भाजपा या अन्य राजनीतिक दल कोई भी जनता के मंच को हड़पने में पीछे नहीं है। यह जनता की, जनता जनता के लिए और जनता के द्वारा बनाई सरकार है। फिर इन चीज़ों में नेताओं का निजी नायकत्व क्यों हावी हो जाता है। जनता के कर का पैसा जनता पर ख़र्च कर उसका तमगा अपनी राजनीतिक वर्दी पर क्यों चिपका लिया जाता है, क्या चुनाव आयोग ने कभी मुखर होकर यह सवाल पूछा है। अवाम सत्तर साल बाद भी यह जानना चाहता है कि उसे मामूली राहत देने वाली कोई योजना राजनीतिक दलों के लिए महाफ़ायदे का सबब कैसे बन जाती है।

जब देश की अर्थव्यवस्था बहुत चमकती सी नहीं है, बेरोज़गारी के आँकड़े बेचैन कर रहे हैं, सीमाई ख़तरे बढ़े हुए हैं उस समय भी हमें चुनावों पर साढ़े तीन खरब रुपये से ज़्यादा ख़र्च करना पड़ रहा है। क्या इस ख़र्च को एक फ़ीसद भी कम करने की कोशिश की गयी? इन सारे सवालों पर आगे बात होने की उम्मीद रखें, या यह मान लें कि चुनाव आयोग भी सवालों से नफ़रत करता है।

अगले पाँच साल की प्रक्रिया शुरू हो चुकी है। चुनावी सुधारों का 'स' भी नहीं खोज पाने के बाद लग रहा है कि रॉबर्ट फ्रास्ट की तरह कम चली गयी सड़क को चुनने का जोख़िम कौन उठायेगा भला। लेकिन

अब तक का चुनावी पाठ यही बताता है कि उम्मीद की किरण भी यहीं से निकलनी है। ऐसे जोख़िम भरे समय में भी वो ख़ास और आम चेहरे दिखेंगे जो अपनी अलग राह चुनने के लिए जाने जायेंगे, चाहे वह कोई ख़ास नेता हो, आम आदमी या पत्रकार। यह हम सब पर निर्भर है कि इस परीक्षा के समय में हम अपनी कौन–सी भूमिका चुनते हैं। राज, समाज और संस्थाओं को मज़बूत करने वाले चेहरे पहचाने जायेंगे और अपने पाठ का इतिहास भी बनायेंगे।

16 मार्च 2019

2019 का चुनाव दो दलों या दो प्रतिनिधि चेहरों का नहीं बल्कि दो महागठबन्धनों का चुनाव होगा। गठबन्धन को लेकर सत्ता पक्ष जितना लचीला रुख़ अख़्तियार कर चुका है और परिवर्तन की लकीर के बरअक्स सुधार की बड़ी लकीर खींच रहा है उससे उसके खोने के डर का भी पता चलता है। भाजपा और कांग्रेस जैसे बड़े राष्ट्रीय दलों के सामने क्षेत्रीय क्षत्रप अपनी लकीर बड़ी कर चुके हैं। 2014 के आर–पार वाले माहौल के उलट इस बार हर खेमे में खोने का डर गठबन्धन के बढ़े क़द के हालात पर बेबाक बोल।

डर के आगे जीत है...

विपक्षी दलों को देहाती औरत से लेकर पूतना तक के सम्बोधन देने वाले गिरिराज सिंह पाँच सालों तक अपने विवादित बयानों को लेकर चर्चा में रहे। सार्वजनिक मंच पर गिरिराज अक्सर कुछ ऐसा कह जाते थे, जिससे हंगामा मचता था। लेकिन अफ़सोस जिस नवादा सीट से उन्होंने चुनाव जीता था और राजग सरकार के सबसे बिगड़े बोल वाले नेता के रूप में प्रचारित हुए, इस बार उस सीट से चुनाव नहीं लड़ पायेंगे। बिहार में भाजपा के सहयोगी दलों के गठबन्धन के कारण अब यह सीट लोजपा के पास है।

बिहार जैसे राजनीतिक रूप से नाजुक क्षेत्र में भाजपा ने जद एकी के साथ 17–17 सीटों पर समझौता किया है। इनमें पाँच सीटें वैसी हैं जिन पर भाजपा जीत दर्ज कर चुकी है। महाराष्ट्र में शिवसेना को अपने गठबन्धन की फ़ौज में शामिल कर ही लिया है। बिहार में रालोसपा ने जो छोटा झटका दिया था उसे भी सँभाल लिया।

भाजपा जैसी मज़बूत पार्टी के लिए बिहार में इतना समझौतावादी होना बता रहा है कि इस बार 2019 का चुनाव दो दलों या दो नायकों की लड़ाई नहीं है। इस बार का मैदान 2014 की तरह आर–पार का नहीं है कि इसके ख़िलाफ़ वो। इसलिए हर खेमे में खोने का डर है।

आम चुनावों की आचार संहिता लागू है लेकिन राजनीतिक पण्डित अभी तक कोई ठोस चुनावी परिदृश्य सामने नहीं ला पाये हैं, इन्हें भी ग़लत साबित होने का डर है। फ़रवरी के पहले हफ़्ते में विपक्ष हावी सा दिख रहा था और कथित उदारवादी तबके ने परिवर्तन की उम्मीद की किरण फैला दी थी। लेकिन पुलवामा हमले के बाद इनके उत्साह के बुलबुले फूट गये। केन्द्र सरकार अपने पक्ष में इस माहौल को भुनाती,

उससे पहले ही इस तबके ने आत्समर्पण कर दिया। यह वही तबका है जो जितनी जल्दी उत्साह में आता है, उतनी ही जल्दी निराशा के समुद्र में गोते भी लगाता है। सबसे ख़ास बात यह है आशा और निराशा का माहौल रचने वाले इस तबके का वोटिंग फ़ीसद सबसे कम होता है, इसलिए फ़िलहाल इस पाठ से इन्हें बाहर ही रखते हैं।

बिहार में तेजस्वी यादव चेतावनी देते हुए कहते हैं, 'अगर अबकी बार विपक्ष से कोई रणनीतिक चूक हुई तो फिर देश में आम चुनाव होंगे या नहीं, कोई नहीं जानता। अगर अपनी चंद सीटें बढ़ाने और सहयोगियों की घटाने के लिए अहंकार नहीं छोड़ा तो संविधान में आस्था रखने वाले न्यायप्रिय देशवासी माफ़ नहीं करेंगे।' तेजस्वी यादव के बयान में 2024 में चुनाव नहीं होने वाली अतिशयोक्ति को हटा दें तो डर साफ़–साफ़ महसूस किया जा सकता है। तेजस्वी के ख़ौफ़ के आगे बसपा प्रमुख मायावती का अति उत्साह भी है कि कांग्रेस सात सीटें छोड़ने की बात न करे, पूरे 80 सीटों पर अपने उम्मीदवार उतारें। मायावती के अनुसार सपा–बसपा मिलकर भाजपा को हरा देंगे। हर राज्य में डर और उत्साह का माहौल अलग–अलग है जिसमें विपक्ष पूरी तरह उलझ रहा है।

भाजपा को पता है कि इस बार वैसी कोई सुनामी और लहर नहीं है तो वह इसकी तैयारी भी कर रही है। लेकिन दिल्ली में आम आदमी पार्टी और कांग्रेस का गठबन्धन कोई फ़ैसला नहीं कर पा रहा है। कांग्रेस और आम आदमी का अन्दरुनी सर्वेक्षण बता रहा है कि भाजपा दूसरे नम्बर पर है। दिल्ली प्रदेश कांग्रेस के पूर्व अध्यक्ष और वरिष्ठ कांग्रेसी नेता अजय माकन साफ़–साफ़ कह रहे हैं कि अगर कांग्रेस और आम आदमी पार्टी का गठबन्धन नहीं हुआ तो राष्ट्रीय राजधानी की सातों सीटें भाजपा की झोली में जायेंगी।

गठबन्धन को लेकर दोनों दलों के भय की बानगी दिल्ली में ही देखी जा सकती है। आम आदमी पार्टी और कांग्रेस के सम्भावित गठबन्धन के ख़िलाफ़ भाजपा नेताओं का अभियान शुरू है और वे इसे महामिलावट बता रहे हैं। भाजपा और आम आदमी पार्टी एक–दूसरे के घोषणापत्रों को जला रहे हैं। भाजपा नेता उन आरोपों की याद दिला रहे हैं जो कांग्रेस और आम आदमी पार्टी ने एक–दूसरे पर लगाये थे। दिल्ली में सबसे अहम है भाजपा का अपने सातों चेहरों पर मन्थन करना। इसके लिए पार्टी ने सर्वेक्षण भी करवाया।

भाजपा की पहले भी रणनीति रही है कि जिन क्षेत्रों में उसके प्रतिनिधियों ने काम अच्छा नहीं किया है उन चेहरों को बदल देना। चेहरे बदल जाने से जनता में थोड़ी बदलाव की भावना तो आती है।

अगर सामने के श्यामपट्ट पर एक लकीर खिंच चुकी है तो फिर क्या किया जा सकता है। या तो उस लकीर को मिटा दिया जा सकता है या उसके समान्तर एक बड़ी लकीर खींची जा सकती है। भाजपा और कांग्रेस दोनों दलों के समान्तर क्षेत्रीय क्षत्रप बड़ी लकीर खींच चुके हैं। अब भाजपा बनाम सब या कांग्रेस बनाम सबकी लड़ाई नहीं है। ये सब अपनी–अपनी लकीर की लम्बाई से बँधे हुए हैं। इस बार की जंग इन समानान्तर खड़ी लकीरों के साथ है।

कर्नाटक के मुख्यमन्त्री कुमारस्वामी सर्वश्रेष्ठ उदाहरण हैं गठबन्धन की जीत के। सबसे बड़ी पार्टी होने के बाद भी भाजपा के पास सरकार बनाने का संख्याबल नहीं था। अब लकीर को बड़ा करने की शक्ति कुमारस्वामी के पास थी। वो जिसके साथ हाथ मिलाते वही लकीर बड़ी हो जाती। कांग्रेस से हाथ मिलाते ही भाजपा के शपथ लिए मुख्यमन्त्री को अधूरा भाषण छोड़ आँखें पोंछते हुए बाहर जाना पड़ा था। गठबन्धन के संख्याबल ने बड़ी लकीर छोटी कर दी।

कर्नाटक में गठबन्धन के ज़रिये लकीर बड़ी हुई कांग्रेस की लेकिन इससे सबक सीखा भाजपा ने। दिल्ली से लेकर बिहार व उत्तर प्रदेश व बंगाल तक कांग्रेस गठबन्धन को लेकर फ़ैसला नहीं कर पायी है। पिछले चुनावों में तीन राज्यों में वह अपने बूते सरकार बना पायी है लेकिन लोकसभा चुनावों में वह एकला चलो रे की हालत में नहीं है। भाजपा और संघ पूरी ताक़त से अपनी ज़मीन वापस पाने को जुटे हैं। पिछले पाँच सालों में संघ ने जो ज़मीनी ताक़त बनाई है, उससे भाजपा को भरोसा है कि अगर वह एक जगह कुछ दे रही है तो दूसरी जगह माँग भी सकती है, एक जगह खो रही है तो दूसरी जगह पा भी जायेगी। लेकिन पिछले लोकसभा चुनावों में अस्तित्व के स्तर तक हिल चुकी कांग्रेस अगर एक जगह कुछ खोती है तो दूसरी जगह उसी अनुपात में पा जाना उसके लिए सम्भव नहीं है।

भाजपा और संघ ने जिन जगहों पर परिवर्तन की आहट सुनी वहाँ डरी भी और आपदा प्रबन्धन किया। परिवर्तन की लकीरों को पहचान वहाँ

मान–मनौव्वल की बड़ी लकीर खींचने में भी नहीं हिचकिचाई। महाराष्ट्र में एक–दूसरे पर लगातार कीचड़ उछालने के बाद ख़तरा देखा तो दाग़ अच्छे हैं कहकर गले लगा लिया। जहाँ गठबन्धन सम्भव नहीं है उन दलों के नेताओं को अपनी पार्टी में शामिल करने की रणनीति अपनाई। लेकिन उसे इस बात की भी समझ है कि इस बार मामला एकतरफ़ा नहीं हैं। इस बार अन्य दलों से भाजपा में लोग सिर्फ़ आये नहीं हैं, बल्कि अच्छी–ख़ासी संख्या में उससे नाता भी तोड़ा है।

2019 का मुक़ाबला दो चेहरों नहीं, दो दलों नहीं बल्कि गठबन्धनों का ही मुक़ाबला है। यह राजग का डर ही है कि वह विपक्ष के मेल को महामिलावट कर हमलावर हो रहे हैं। इस हमले के पीछे उसका वह डर है जो उसके अपने गठबन्धन में दलों की संख्या 50 तक पहुँचा रहा है। वैसे डरना सही भी है, क्योंकि उससे निकलने की कवायद ही हासिल ए महफ़िल है। डर के आगे ही जीत है।

23 मार्च 2019

देश में आईपीएल और आम चुनाव की धूम है। क्रिकेट और राजनीति दोनों विज्ञापन केन्द्रित हो गये हैं। आईपीएल हर साल अपने विज्ञापन बदलता है तो राजनीतिक दल पाँच साल बाद अपने पुराने विज्ञापन को बदल डालते हैं। सफ़ेद से सुपर सफ़ेद और मुक़ाबला से महामुक़ाबला वाले विज्ञापन की भाषा राजनीतिक दल भी बोल रहे हैं। अभी जब टीवी पर दोनों के विज्ञापन साथ चल रहे हैं तो क्रिकेट वाला विज्ञापन राजनीति के धुरन्धरों को सावधान करते हुए कहता है 'गेम बनायेगा नेम'। क्रिकेट का बाज़ार भी ख़रीद कर उसे ही अनमोल करेगा जो बेहतर खेल कर अपना मोल बतायेगा। बेबाक बोल में विज्ञापनों और मीडिया केन्द्रित राजनीतिक दलों को यही सलाह कि मैदान अलग हैं नियम एक कि नाम को छोड़ो काम दिखाओ। सिर्फ़ नाम नहीं चलेगा, टिकना है तो काम ही काम आयेगा।

नाम नहीं काम

जब तक बिका न था तो कोई पूछता न था
तूने ख़रीद कर मुझे अनमोल कर दिया

इस दुनिया को तीन चीज़ों ने बदला है बाज़ार, बाज़ार और बाज़ार। फ़िल्मी तर्ज़ वाले इस संवाद के आगे तीन की जगह कोई भी संख्या लगा दें लेकिन इस बाज़ार के असर में कोई कमी नहीं आयेगी। पहली बार ऐसा है कि देश में आम चुनाव और इंडियन प्रीमियर लीग (आईपीएल) साथ–साथ चलेंगे। भारत के चौक–चौबारों, गली–मोहल्लों में दो ही विषयों पर बहसें होती हैं, तू–तू–मैं–मैं होती है या तो चुनाव या फिर क्रिकेट। दोनों में सबसे अहम है पैसा और विज्ञापन।

घर की आगे की सड़क पर ईंट से विकेट बनाकर खेलते बच्चे नदारद हैं। घर की बैठकी में आवाज़ है धोनी–धोनी। टीमों के एक से बढ़कर एक विज्ञापन। भारत में कश्मीर से लेकर कन्याकुमारी तक खेले जा रहे क्रिकेट की सामुदायिकता को बाज़ार ने परखा। गली–मोहल्लों में छिटके इस समुदाय को उसे एक जगह पर इकट्ठा करना था। क्रिकेट ऐसा क्षेत्र है जो बाज़ार के साथ सबसे ज़्यादा बदला। क्रिकेट मैदान से ज़्यादा मुनाफ़े में टीवी पर था। मैदान पर देखने कितने लोग जा सकते थे। टीवी पर एक साथ दादा–दादी, बच्चे, मियाँ–बीवी सब क्रिकेट के दर्शक थे। खिलाड़ी के पैड से लेकर बैट और मैदान की चारदीवारी तक विज्ञापन ही विज्ञापन। कैमरे का एंगल खिलाड़ियों के हैलमेट का विज्ञापन भी टीवी पर जूम कर दिखा दिया जाता है। इसके साथ ही खेल के बीच में 'पौष्टिक' पेय पदार्थ, शीतल पेय, साबुन और शैम्पू बेचते खिलाड़ी।

विज्ञापनों की इसी अहमियत ने क्रिकेट को टीवी से लेकर मोबाइल फ़ोन तक जोड़ा। इसे ज़्यादा से ज़्यादा केन्द्रित करने के लिए ज़रूरी था

इसमें और ज़्यादा रोमांच का तड़का लगाना। क्रिकेट में इसी रोमांच को भुनाने के लिए आगाज़ हुआ आईपीएल का। टीम में नाम जुड़ा राजस्थान और कोलकाता का और उसमें शामिल हैं ऑस्ट्रेलिया और इंग्लैंड के भी खिलाड़ी। जिस अफ़ग़ानिस्तान को दुनिया के नक्शे पर कट्टरपन्थियों के आतंकवाद ने तबाह कर रखा है वहाँ के राशिद ख़ान की क़ीमत को आईपीएल के जौहरियों ने पहचाना है तो तमिलनाडु के गुमनाम वरुण चक्रवर्ती को 8.4 करोड़ में ख़रीद कर चौंका दिया जाता है। दर्शकों का यही चौंकना तो बाज़ार के चौके और छक्के हैं। कोई धोनी का धुरन्धर है तो कोई 'करबो, लड़बो, जीतबो रे' का नारा लगा बंगाल की मिट्टी का भी तड़का लगा रहा है। चाहे नारा हो या विज्ञापन यह सब केन्द्रित है मीडिया पर।

गली–मोहल्ले अपने–अपने महेन्द्र सिंह धोनी और विराट कोहली को टीवी और मोबाइल फ़ोन के सामने खो चुके हैं। वही हाल चुनाव में खड़े नेताओं का भी है। दीवार पर हाथ से लिखे राजनीतिक नारे ग़ायब हैं। गलियों में चुनाव के समय बजने वाला गाना ये देश है वीर जवानों का, अलबेलों का मस्तानों का, अब नहीं बजता। घर–घर घूमकर वोट माँगने वाले नेताओं की भी कमी हो गयी है। चुनावी जंग भी मीडिया आधारित है, नये सोशल मीडिया के साथ। नेताओं का जनता के साथ आमने–सामने का संवाद घट रहा है और जो भी है वह विज्ञापन है। चुनाव का मैदान घरों के टेलीविज़न सेट तक सिमट चुका है। ट्वीट, रीट्वीट, हैशटैग और ट्रोल मुद्दे शुरू और ख़त्म कर दे रहे हैं। विज्ञापन देने वाला सिर्फ़ अपनी बात कहता है, सामने वाले की सुनता नहीं। एक विज्ञापनी मुद्दे पर समस्या पैदा होते ही ताज़ा विज्ञापन तैयार हो जाता है।

इस बार मायावती ने ऐलान किया है चुनाव नहीं लड़ने का। मायांवती चेहरा रही हैं संगठन का। अगर वे चुनाव लड़ने से इनकार कर रही हैं तो इसका मतलब है कि उन्हें अब संगठन के ज़रिये जीत का भरोसा नहीं रह गया है। कांशीराम ने संगठन की शक्ति से ही बहुजन समाज पार्टी की स्थापना की थी। लेकिन दलों का सांगठनिक स्तर पर मज़बूत होना दिन–रात और सफ़ेद जर्सी वाले टेस्ट मैच की तरह पुराना हो गया है। अब संगठन से ज़्यादा अहम है उम्मीदवार का चेहरा। भारतीय कम्युनिस्ट पार्टी (भाकपा) जैसे वामपन्थी दल की चुनावी उम्मीदवार खड़े करने की

एक प्रक्रिया रही है। लेकिन अब तो आईपीएल का समय है इसलिए जेएनयू में सत्ता के ख़िलाफ़ उठी पहली आवाज़ के बाद ही उन्हें भाकपा का चुनावी उम्मीदवार घोषित किया जा चुका था। सांगठनिक स्तर पर बुरी तरह टूट चुकी भारतीय कम्युनिस्ट पार्टी (भाकपा) को कन्हैया कुमार को अपना उम्मीदवार घोषित करना ही पड़ा क्योंकि अब जो सबसे ज़्यादा अहम है वह है छवि। संगठन से ज़्यादा मायने रखती है छवि।

एक तरफ़ कन्हैया की छवि को भुनाने के लिए भाकपा मजबूर हो रही है तो उधर टीवी पर धोनी–धोनी की आवाज़ बताती है, जो दिखेगा वही टिकेगा। वाम चेहरों में कन्हैया को मीडिया ने सबसे ज़्यादा दिखाया तो वही चेहरा चुनावी टिकट भी पा सका। इस चुनाव में बिहार में बेगूसराय की सीट नया चुनावी कथ्य बना रही है। विपक्ष के लोगों को पूतना कह पाकिस्तान भेजने वाले गिरिराज सिंह बेगूसराय से चुनाव लड़ने से हिचक रहे थे तो कन्हैया के पक्ष में जो लहर बन रही है उसकी ज़मीन पर जाति ही दिख रही है। तेजस्वी यादव 2024 में चुनाव नहीं होने का डर तो दिखा चुके लेकिन खुद किस डर से कन्हैया कुमार वाली पार्टी को महागठबन्धन में शामिल नहीं किया इसकी वजह भी साफ़ है। सामाजिक न्याय का दावा करने वाली पार्टियों में उत्तराधिकार का हक़दार सिर्फ़ बेटा हो तो फिर बेटे का सामाजिक न्याय युवा फायर ब्रांड चेहरे से परहेज़ करेगा ही।

अब तो चुनावी टिकट भी आईपीएल की तर्ज़ पर है। संगठन पीछे छूट कर व्यक्ति हावी हो चुका है। चाहे वह अपने धनबल से हावी हो या संघर्ष की राह का चेहरा बना हो। पाँच साल पहले आम आदमी पार्टी ने जो संगठन की शक्ति दिखाई थी इस बार वह भी टूट चुकी है। उनके नेताओं ने क्रान्ति का उपनाम हटा जाति को जोड़ लिया है। संगठन के नाम से जुड़ने वाले लोग अब दूर हैं और ख़ास जाति व पैसे के आधार पर जुड़ने वाले ही 'आम' हो रहे हैं। राजनीतिक दल जितने ज़्यादा पैसे प्रचार पर ख़र्च कर देते हैं उसके कारण हर चुनाव में उन्हें अपना नया विज्ञापन बनाना पड़ता है। नये सीजन में सफ़ेद को सुपर सफ़ेद और मुक़ाबले को महामुक़ाबला बनाने सरीखा। आईपीएल का विज्ञापन हर साल बदलता है तो चुनावी दलों का विज्ञापन पाँच साल पर।

आँकड़े बता रहे हैं कि आईपीएल ख़र्च के मामले में लोकसभा

चुनावों को टक्कर दे रहा है। वहीं 2019 के आगामी लोकसभा चुनाव का आकलन दुनिया के सबसे ख़र्चीले चुनावों के रूप में किया गया है। विभिन्न स्रोतों से जारी रपटें बताती हैं कि 2014 में भाजपा और कांग्रेस जैसी पार्टियों ने अपने प्रचार पर जितना ज़्यादा ख़र्च किया उससे ज़्यादा विज्ञापन आईपीएल को मिले। 2018 में आईपीएल की ब्रांड वैल्यू 43 हज़ार करोड़ रुपये थी।

क्रिकेट हो या चुनाव, ये अब वास्तविक मैदान नहीं माध्यमों की जंग बन गये हैं। करोड़ों टीवी सेट पर दोनों के विज्ञापन शुरू हो चुके हैं। लेकिन राजनीति को सलाह है आईपीएल के विज्ञापन से सीख लेने की। 'गेम बनायेगा नेम' वाला क्रिकेट का विज्ञापन नेताओं को याद दिला रहा है कि जो असल में काम किया है वही काम आयेगा। तो रिमोट से चैनल बदलिए और कभी क्रिकेट तो कभी चुनाव का मैदान देख अपने–अपने पाठ तय कीजिए। दोनों के विज्ञापन टकराएँ तो थोड़ा मुस्कुराएँ, क्योंकि नियम एक हैं।

30 मार्च 2019

पिछले पाँच सालों में किसान आन्दोलन के बाद बने सत्ता विरोधी मंच का फ़ायदा हिन्दी पट्टी के तीन राज्यों में कांग्रेस को मिला। किसी भी तरह के जनान्दोलन और क्रान्ति से दूर रहे कांग्रेस के नेताओं ने पिछले पाँच साल में हुए आन्दोलनों और उससे उठी माँगों का कोलाज बना क्रान्तिकारी घोषणापत्र पेश किया। विधानसभा चुनावों में जनेऊ दिखा मन्दिर की परिक्रमा कर रही कांग्रेस आम चुनावों के वक़्त न्यूनतम आय योजना के साथ कृषि और आरक्षण के क्षेत्र में क्रान्तिकारी बदलावों का वादा कर रही है। मनमोहन सिंह और पी. चिदम्बरम जैसे उदारीकरण के योजनाकार आज अपनी ही नाइन्साफ़ियों के ख़िलाफ़ 'न्याय योजना' की बात कर रहे हैं। कांग्रेस का घोषणापत्र सबसे पहले इस पार्टी की अभी तक की नीतियों के ख़िलाफ़ ही खड़ा होता है। सूट–बूट की सरकार और रफाल से छलाँग लगाकर ढाँचागत बदलाव के वादों का आधार क्या है यही सवाल करता बेबाक बोल।

बदलाव का वादा

'कांग्रेस ने 1991 में नयी औद्योगिक नीति के साथ उदारीकरण की शुरुआत की थी। आज वैश्विक और भारतीय अर्थव्यवस्था को ध्यान में रखते हुए, कांग्रेस एक दूरदर्शी प्रगतिशील औद्योगिक नीति बनायेगी।'

(कांग्रेस घोषणापत्र, पृष्ठ संख्या 13)

'प्रथम प्रधानमन्त्री स्वर्गीय जवाहर लाल नेहरू ने कहा था कि 'सब कुछ इन्तज़ार कर सकता है कृषि नहीं।'

(कांग्रेस घोषणापत्र, पृष्ठ संख्या 17)

हम निभायेंगे' का घोषणापत्र डॉक्टर मनमोहन सिंह और पी. चिदम्बरम के हाथों में था और मीडिया के कैमरे इन्हें एक फ्रेम में क़ैद कर रहे थे। कांग्रेस का चुनावी घोषणापत्र जारी करते हुए मनमोहन सिंह ने कहा कि पिछले पाँच सालों में नौकरियों में कमी आयी और खेती–किसानी का संकट बढ़ा। ये ऐतिहासिक घोषणापत्र देश को और आगे ले जाने का काम करेगा। मनमोहन सिंह और पी. चिदम्बरम के हाथों में 'न्याय योजना' देखने के साथ यहाँ एक चेहरे की कमी लग रही थी, पूर्व राष्ट्रपति प्रणब मुखर्जी की। आज़ादी के बाद प्रणब मुखर्जी कांग्रेस का वह चेहरा रहे हैं जिन्होंने भारतीय अर्थव्यवस्था को उदारीकरण का अक्षर ज्ञान करवाया था। अर्थव्यवस्था की बात करते वक़्त पिछले पाँच साल में कांग्रेसी नेताओं के उन दावों का पुनरावलोकन करना होगा जिनमें भाजपा सरकार की हर झण्डाबरदार योजना को 'कांग्रेसी स्कीम' बता नक़ल करने की बात होती थी।

इन सबके बीच माकपा के बुजुर्ग नेता अच्युतानन्द राहुल गाँधी को फिर से 'अमूल बेबी' का खिताब दे बैठे। अच्युतानन्द का ग़ुस्सा इस बात पर उतरा कि राहुल गाँधी ने केरल की वायनाड घाट सीट से लोकसभा चुनाव लड़ने का पर्चा भरा। यह वह सीट है जहाँ वाम मोर्चा का मुक़ाबला

भाजपा से है। इसके पहले राहुल गाँधी विकल्प–विकल्प का नारा लगा रहे थे। लेकिन सवाल यह भी है कि आप विकल्प निकालेंगे कहाँ से। उत्तर प्रदेश में सपा–बसपा कांग्रेस के साथ नहीं, बंगाल में तृणमूल ख़िलाफ़ और अब कांग्रेस वाम मोर्चे के ख़िलाफ़। नीति वही बनाते हैं जिसकी सरकार होती है। लेकिन कांग्रेस ने विकल्प लागू करने वाली उम्मीदों से इसलिए दूरी बनाई ताकि सीटों की संख्या बढ़े। दिल्ली कांग्रेस के पूर्व अध्यक्ष अजय माकन चेतावनी दे चुके हैं कि दिल्ली में आम आदमी पार्टी और कांग्रेस अलग–अलग लड़े तो सातों सीटें भाजपा की झोली में जा सकती हैं। इसके बावजूद राहुल गाँधी ने दिल्ली में अब तक आम आदमी पार्टी से दूरी बना रखी है। मायावती से लेकर ममता बनर्जी तक जो पक्के सहयोगी बन सकते थे, उनके साथ विकल्प छोड़ अपनी सीटों की संख्या बढ़ाने की महत्त्वाकांक्षा ही दिखाई। कांग्रेस की इसी समझ को अच्युतानन्द बचकाना राजनीतिक फ़ैसला कह रहे हैं। कांग्रेस को भाजपा से मुक़ाबला करना है तो उसे उसी की पिच से नहीं हरा सकती है, बल्कि अपना एक वैकल्पिक पिच बनाना ही होगा।

पिछले पाँच सालों में किसान आन्दोलन के ज़रिये वैकल्पिक मैदान बन गया था। राजस्थान, छत्तीसगढ़ और मध्य प्रदेश के चुनाव में भोलेनाथ, जनेऊ, गौशाला और मन्दिर के खेल में जुटी कांग्रेस को उस आन्दोलन का फ़ायदा मिला, जिसके असन्तोष की फ़सल के बीज उसी की नीतियों के कारण बोये गये थे। बिना किसी तरह के आन्दोलन का हिस्सा बने कांग्रेस को तीन राज्यों में सफलता मिली। लेकिन आज जब राष्ट्रीय स्तर पर चुनाव है तो विकल्प से मुँह मोड़ कर कांग्रेस वैकल्पिक नीति वाला घोषणापत्र पेश कर रही है।

कांग्रेस ने अपने घोषणापत्र में किसान बजट की बात की है। किसानों के 'न्याय' की माँग तो सदियों पुरानी है लेकिन कांग्रेस से मोहभंग के समय में बात भट्टा–पारसौल से उठी थी। प्रणब मुखर्जी, मनमोहन सिंह और पी. चिदम्बरम वाली अर्थव्यवस्था में उदारीकरण के राजमार्ग पर किसानों के लिए एक भी पगडण्डी नहीं बनाई गयी थी। आज जिन दो घरानों पर कांग्रेस अध्यक्ष वार कर रहे हैं वे पिछले पाँच साल में नहीं खड़े हुए हैं। भारत के प्रथम प्रधानमन्त्री नेहरू कह रहे थे कि कृषि इन्तज़ार नहीं कर सकती। लेकिन कांग्रेस ने सत्ता से पूरी तरह

उखड़ने तक कृषि को इन्तज़ार करवाया। जब कृषि और आर्थिक क्षेत्र से उपजे असन्तोष ने सत्ता से उखाड़ फेंका, तो आज जवाहरलाल नेहरू के उद्धरण की याद आ रही है।

लोकसभा चुनाव के पहले कांग्रेस ने जितने चुनाव लड़े वे भाजपा की आलोचना पर केन्द्रित थे। नोटबन्दी और जीएसटी को ग़लत बताते हुए या यह हमारी योजना थी का राग अलापते हुए भाजपा को घेरा गया। लेकिन आगामी आम चुनावों में कांग्रेस ने वैकल्पिक नीति को केन्द्र बनाया है। न्यूनतम आय से लेकर किसानी तक के मुद्दों पर विकल्प का नारा दिया है। इस बार सिर्फ़ भाजपा की आलोचना नहीं है बल्कि अपनी अलग राह का भी वादा किया है।

विधानसभा चुनावों तक तो कांग्रेस सिर्फ़ सूट–बूट जैसे नारे ही लगा पायी थी। उसके बाद रफाल पर एक क़दम आगे बढ़ी लेकिन उसे जनता का मुद्दा नहीं बना पायी। सूट–बूट और रफाल के बाद अचानक सालाना 72 हज़ार की छलाँग लगा दी जाती है। लेकिन सवाल यह है कि एक नारे से दूसरे नारे तक पहुँचने के लिए पार्टी ने रास्ता क्या अपनाया। क्या आप इस मुद्दे को लेकर जनता के बीच बहस कर पाये थे। अगर कांग्रेस का घोषणापत्र सोची–समझी रणनीति और बहस के बाद आता तो एक उम्मीद बँध सकती थी।

जिस तरह से ऐन चुनाव के मौक़े पर यह ग़रीबी हटाओ द्वितीय यानी कि अबकी बार 72 हज़ार आता है उससे पहला सवाल तो यही उठता है कि इस बार भी ग़रीबी ही क्यों? जिस तरह तुरत–फुरत में कांग्रेस का क्रान्तिकारी घोषणापत्र आया है उससे जनता एक बार तो सवाल कर ही ले कि इस वादे को पूरा करने के लिए संसाधन कहाँ से आयेंगे। नारे और वादे जब तक एकतरफ़ा रहेंगे तब तक पूरे नहीं होंगे।

अब वक़्त आ गया है कि नारों और वादों को दोतरफ़ा बनाकर जनता पिछले 'ग़रीबी हटाओ' का हिसाब माँग ले। यह अच्छी तरह जान ले कि निभाने की नीयत भी है। हम यह नहीं कहते कि आप ग़रीबी नहीं हटा पाये तो न्यूनतम आय योजना की बात नहीं करें। लेकिन यह भी बताना होगा कि विधानसभा से निकलते ही आम चुनावों में घुसते ही नीतिगत परिवर्तन कैसे हो गया।

पिछले विधानसभा चुनावों में प्रेस कॉन्फ्रेंस में हाथ में गंगा–जल

लेकर कसमें खा रहे कांग्रेसी नेता उन वादों पर मुखर ही नहीं हो पा रहे हैं जो अनुसूचित जाति, अनुसूचित जनजाति और अन्य पिछड़ा वर्ग को लेकर किये गये हैं। पिछले पाँच सालों में केन्द्र सरकार के ख़िलाफ़ असन्तोष के जो भी सुर उभरे उन सभी का कोलाज बनाकर कांग्रेस ने अपना घोषणापत्र तैयार कर लिया है। लेकिन जनता कैसे भरोसा करे कि विधानसभा चुनावों में ब्राह्मण का परिचय–पत्र दिखा सवर्ण मतदाताओं को ख़ुश कर रहे लोग आरक्षण के क्षेत्र में किये क्रान्तिकारी वादे पूरे कर देंगे।

कांग्रेस का घोषणापत्र पढ़ने लायक और सहेजने लायक है। इसे पढ़ने के बाद कांग्रेस पार्टी से यह सवाल पूछा जाना चाहिए कि पिछले पाँच सालों में इन मुद्दों पर उसका क्या रवैया रहा है, इन्हें लेकर वह जनता से कितना जुड़ी, उसकी ज़मीनी मेहनत क्या रही। इस घोषणापत्र के ज़रिये कांग्रेस ने ख़ुद के ख़िलाफ़ जंग का ऐलान किया है। परीक्षा के ऐन पहले पाठ्यक्रम बदलकर राहुल गाँधी ने छवि–बोध वाली बढ़त तो ली है। लेकिन इस छवि के पाठ से आगे टकराना भी उनको ही है।

6 अप्रैल 2019

मथुरा के गाँवों में फ़सल काटती हेमा मालिनी हैं तो बेगूसराय में कन्हैया के पक्ष में खड़ी स्वरा भास्कर। कलाकारों के एक समूह ने मौजूदा सरकार को वोट नहीं देने की अपील की तो दूसरा खेमा सत्ता के पक्ष में अपील करता नज़र आया। सत्ता और सिनेमा में लोकप्रियता ख़ासा मायने रखती है। सिनेमाई चेहरों को राजनीतिक दल अपने फ़ायदे के लिए भुनाते रहे हैं। दक्षिण भारत में तो सिने कलाकार लोकप्रियता और जनसरोकार की अगुआई करते हुए नये राजनीतिक दल बना चुके हैं। सत्ता और सिनेमा के इस सम्बन्ध पर बेबाक बोल।

सत्ता का सिनेमा

सुन ताऊ, तै इस बार हुड्डा नै वोट करेगा या खट्टर नै
रै, नास ही मारना है तो सपना चौधरी के बुरी सै'

वाट्सऐप के कारख़ाने में बने हरियाणवी बोली के इस चुटकुले को राजनीतिक रूप से अगम्भीर मानकर इससे किनारा किया जा सकता था। इसमें मर्दवादी सोच की बदबू भी है, लेकिन लोक गायिका सपना चौधरी को अपने खेमे में लाने के लिए कांग्रेस और भाजपा के बीच जो प्रहसन चला, उसके बाद उपरोक्त चुटकुला कुछ ज़्यादा ही गम्भीर लगने लगा। सपना चौधरी के कांग्रेस में आने की हाँ और न के बीच तो अच्छे राजनीतिक टिप्पणीकार और पत्रकार तक उलझ गये। कांग्रेस में शामिल होने की ख़बर रिपोर्ट करने वाले 'फेक न्यूज़' के आरोप में फँस गये। सपना चौधरी पर मीम और चुटकुलों की बौछार ही उनकी राजनीतिक दलों में माँग की वजह है। जब किसी कलाकार से लोक ख़ुद को जोड़ता है तो राजनीति उसे अपने पक्ष में भुनाना जानती है।

मनोज तिवारी और दिनेश लाल यादव 'निरहुआ' के बाद अगर सपना चौधरी की कांग्रेस और भाजपा में इतनी ज़रूरत समझी जा रही थी तो उसके पाठ पर एक बार बात करने की ज़रूरत है। जब दिल्ली में भाजपा संकट में थी तो मनोज तिवारी को भाजपा का प्रदेश अध्यक्ष बनाया जाता है। उत्तर प्रदेश में पूर्व मुख्यमन्त्री अखिलेश यादव के सामने निरहुआ को खड़ा किया गया है। उर्मिला मातोंडकर से लेकर मिमी चक्रवर्ती और मुनमुन सेन तक चुनावी मैदान में हैं। हेमा मालिनी तो टिकट पाने के बाद फ़सल काट आयी हैं, लेकिन चण्डीगढ़ में किरण खेर के नाम पर अभी इन्तज़ार है।

चुनावी समर में उत्तर प्रदेश के मथुरा के खेत में गेहूँ की फ़सल

काटती हेमा मालिनी हैं तो बिहार के बेगूसराय में हँसिया और गेहूँ की बाली के निशान के झण्डे वाले कन्हैया कुमार के साथ स्वरा भास्कर। सरकार के साथ सेल्फ़ी खिंचवाते फ़िल्मी कलाकार तो मौजूदा सरकार को वोट नहीं देने वाले कलाकारों की सामूहिक अपील। भाजपा में शामिल हुईं जयाप्रदा तो भाजपा को छोड़ कांग्रेस में आने वाले शत्रुघ्न सिन्हा। 'हम जहाँ खड़े होते हैं, लाइन वहीं से शुरू होती है' से लेकर 'कह देना कि छेनू आया था' जैसे अभिनेताओं को नेताओं के बरअक्स खड़ा किया जाता रहा है।

नेता और अभिनेता में समानता यह है कि दोनों लोक से जुड़े यानी लोकप्रिय होते हैं, लेकिन दोनों में अन्तर भी है। नेता का सम्बन्ध सामाजिक कल्याण से है तो अभिनेता का सम्बन्ध मनोरंजन से। साथ ही दोनों की भूमिकाओं में भी अन्तर है। अपनी–अपनी भूमिका के साथ दोनों लोकप्रियता पाने को प्रयासरत रहते हैं। भारत में इस श्रेणी में क्रिकेट या अन्य लोकप्रिय खिलाड़ियों को भी रख सकते हैं। जिसका भी सामाजिक दायरा बड़ा होता है वह लोकप्रियता के दायरे में आता है और राजनीतिक मंच पाता है। राजनीतिक दलों के आम राजनेता अभिनय नहीं कर सकते, क्रिकेट या हॉकी नहीं खेल सकते। लेकिन अभिनेता और खिलाड़ी चुनाव लड़ सकते हैं। अपने–अपने क्षेत्रों में इनकी लोकप्रियता को वोट में बदला जा सकता है। भारतीय संविधान के रचनाकारों की समझ थी कि कला और खेल के क्षेत्र के लोग सीधे चुनावी मुक़ाबले से संसद में नहीं आ सकते हैं। इसलिए उनके प्रतिनिधित्व के लिए राज्यसभा में विशेष व्यवस्था की गयी। लेकिन भारतीय राजनीति की विडम्बना यह है कि राजनीति के कद्दावर नेता इस पिछले दरवाज़े से आने के लिए मजबूर हो जाते हैं तो अमिताभ बच्चन जैसे अभिनेता हेमवती नन्दन बहुगुणा जैसे सरोकार वाले नेता को सीधे मुक़ाबले में हराकर संसद पहुँचते हैं।

पटकथा और भव्य सेटों के बल पर बनी अभिनेताओं की विश्वसनीयता का राजनीतिक उपयोग करना तो आसान होता है, लेकिन इन चेहरों का जनउपयोग कितना हो पाता है। आज जिस तरह से चुनाव प्रक्रिया महँगी होती जा रही है उस कारण आम लोग इससे बेदखल हो रहे हैं। आज कन्हैया कुमार दलीय भावना से ऊपर उठकर इसलिए प्यार पा रहे हैं कि वे साधारण पृष्ठभूमि से आते हैं। लेकिन कन्हैया के चेहरे के पीछे

के भी समीकरण हैं वरना ऐसे कितने लोग हैं जो जनसरोकारी भावना के बावजूद सिर्फ़ जनता की मदद से चुनाव लड़ने के लिए 70 लाख जुटा पाते हैं। अब चुनावों का सामान्यीकरण यही है कि सामान्य लोग इसमें घुस नहीं पाते हैं।

आज पैसे के बोलबाले के कारण या तो क्षत्रपों की सन्तानें, या फिर बड़े कारोबारी ही संसद में प्रवेश कर पाते हैं। तीसरी श्रेणी है उन सितारों की, जिनके पास पैसा और ग्लैमर है। लेकिन इस तीसरी श्रेणी के लिए राजनीति उतनी आसान नहीं होती है जितना पटकथा पढ़कर नायकत्व प्राप्त कर जाना। जनप्रिय चेहरों की जनउपयोगिता कितनी होती है यह इसी से पता चलता है कि बहुत से सिने कलाकारों के संसदीय क्षेत्रों में उनकी गुमशुदगी के पोस्टर लगते हैं।

सार्वजनिक चेहरों की लोकप्रियता को आम आदमी पार्टी ने भुनाया था। फ़िल्म कलाकारों से लेकर हर क्षेत्र की सार्वजनिक हस्ती को पार्टी का सदस्य बनाया गया और चुनावी टिकट भी दिये गये। लेकिन राजनीति के इतर अन्य लोकप्रिय चेहरों की दिक़्क़त होती है कि उनकी भाषा सामूहिकता की नहीं होती है। वे यहाँ तब तक ही टिके रहते हैं जब तक उन्हें निजी तवज्जो मिलती है। सामूहिकता की माँग करते ही वे एकला चलो रे का राग अलाप लेते हैं। आम आदमी पार्टी जब आँधी की तरह आयी थी तो हर क्षेत्र के ख़ास चेहरे उससे जुड़े थे। लेकिन जिन–जिन लोगों को लगा कि वे ख़ास नहीं हो पा रहे, आम होने से इनकार कर पार्टी छोड़ गये।

हम जहाँ खड़े होते हैं लाइन वहीं से शुरू होती है... फ़िल्म 'कालिया' में अमिताभ बच्चन के इस संवाद पर सिनेमा हॉल में ख़ूब तालियाँ बजी थीं। अमिताभ बच्चन अपनी फ़िल्मों के संवाद के कारण घर–घर दुहराये जाने लगे थे। लेकिन राजनीति के मैदान में आने के बाद उन्हें अहसास होता है कि सिनेमा हॉल में तालियों और सीटियों की बदौलत राजनीति के मैदान का सामना नहीं किया जा सकता। पटकथा के संवादों और ज़मीन के असली सवालों का फ़ासला ही होता है कि फ़िल्मों के 'शहंशाह' को राजनीति के मैदान से दूर हो जाना पड़ा था।

पारिवारिक टीवी धारावाहिक में तो 'मदर इंडिया' आसानी से बना जा सकता है, ग़लती कर रहे बेटे को गोली से उड़ा दिया जाता है।

अगले एपिसोड में माँ अपने बुरे बेटे को गोली मारेगी इसका विज्ञापन भी पहले से होने लगता है। बुराई के ख़िलाफ़ अच्छाई की जीत का प्रतीक बना जा सकता है, विरोधियों को 'ख़ामोश' बोला जा सकता है। लेकिन राजनीति में पटकथा पहले से लिखी नहीं मिलती है। अभिनेता पूरे देश को फ़िल्मी सेट समझ लेते हैं, लेकिन जब जनता निर्देशक होती है तो वास्तविकता पर टिकना आसान नहीं होता है।

सुनील दत्त जैसे अभिनेता भी रहे हैं जिन्होंने अपनी राजनीतिक पारी संजीदगी से खेली। दक्षिण भारत की राजनीति में सिनेमा के कलाकारों का वर्चस्व रहा है। एनटी रामाराव से लेकर जयललिता तक की ख़ूबी यह रही कि इन्होंने अपनी लोकप्रियता को जनसरोकारों से जोड़ा और जनता के हो गये। जब आप अभिनेता होते हैं तो जनता आपसे जुड़ती है, लेकिन जनता के साथ लम्बी पारी खेलने के लिए जन–जन का होना पड़ता है खुद को तजना पड़ता है। राजनीति का सेट बहुत आसान नहीं है। आपको लगता है कि आप अपनी लोकप्रियता का इस्तेमाल कर रहे हैं। लेकिन एक बार असली शूटिंग में फ्लॉप होने के बाद आप नक़ली सेट के लायक भी नहीं रह जाते हैं।

13 अप्रैल 2019

एक निजी एअरलाइंस का विमान उड़ान भरता है और उद्घोषक विमान के चालक दल के सदस्यों में महिलाओं व केबिन क्रू के सदस्यों में पुरुषों के नाम लेता है। महिलाएँ विमान उड़ा रही थीं और पुरुष, यात्रियों के खान–पान व अन्य सुविधाओं का ख़याल रख रहे थे, शिशुओं को दूध देने और डायपर बदलने में मदद कर रहे थे। बाज़ार की दी हुई इस आसमानी बराबरी से जब हम ज़मीन पर उतरते हैं तो एक पार्टी की मुखर प्रवक्ता इस आरोप के साथ पार्टी छोड़ती हैं कि उनके साथ दुर्व्यवहार करने वाले लोगों पर कार्रवाई निरस्त कर दी गयी। पूर्व मुख्यमन्त्री राबड़ी देवी के अपमान से दूसरी पार्टी के समर्थकों को मतलब नहीं और दल बदलते ही जयाप्रदा के अपमान पर पूरा 'सामाजिक न्याय' चुप्पी लगा जाता है। चुनावी माहौल में पौरुषतन्त्र के पाठ पर बेबाक बोल।

पौरुषतन्त्र

पुलवामा हमले के बाद भारत के हवाई हमले को लेकर टेलीविज़न परिचर्चा में सरकारी पक्ष के नेताजी अपना पक्ष रख रहे थे। परिचर्चा में शामिल विपक्षी नेता के सवालों से नाराज़ होकर उन्होंने कहा, 'अगर विपक्षी दल डरा हुआ है तो जाकर चूड़ियाँ पहने।' इस उदाहरण के बाद महिला समाचार प्रस्तोता नाराज़ हो गयीं और उन्होंने कहा, 'विपक्ष को आपसे सवाल पूछने का हक़ है, लेकिन इसका मतलब ये नहीं कि जवाब में आप कुछ भी बोलते जायें...चूड़ियाँ पहनने वाली महिलाएँ फाइटर जेट उड़ाती हैं और कोई भी महिला विरोधी बयान बर्दाश्त नहीं किया जायेगा...।' समाचार प्रस्तोता नाराज़ हो रही थीं और नेताजी असमंजस में थे कि उन्होंने तो बस एक मुहावरे का प्रयोग किया था जिसमें ग़लत क्या था। कैमरे में दिख रहा नेताजी के चेहरे का भोलापन बता रहा था कि वे प्रस्तोता के वैचारिक स्तर तक नहीं पहुँच पा रहे थे।

गम्भीर बहस के दौरान यह दुखदायी स्थिति इसलिए बनी क्योंकि प्रस्तोता और नेता के बीच चेतना का फ़ासला था। ऐसा ही माहौल टीवी के बाहर दर्शकों में भी था। कुछ लोग प्रस्तोता के ग़ुस्से का वैचारिक आधार समझ रहे थे और कुछ लोग नेताजी के प्रति सहानुभूति जता रहे थे। भारतीय समाज और राजनीति की विडम्बना का यह दृश्य सोशल मीडिया पर विचरण कर लाइक और टिप्पणी बटोर रहा था।

नेता और प्रस्तोता के बीच चेतना का यह फ़ासला पूरे देश के स्तर पर है। बिहार की पूर्व मुख्यमन्त्री राबड़ी देवी को जब सत्ता पक्ष के मन्त्री घूँघट में रहने की सलाह देते हैं तो उनकी पार्टी के समर्थकों को ये समझ में नहीं आता कि इसमें ग़लत क्या है। वहीं सपा नेता की घोर आपत्तिजनक टिप्पणी मंच पर बैठे पार्टी के मुखिया को ही ग़लत

नहीं लगी तो फिर उसके आम कार्यकर्ताओं और समर्थकों से उम्मीद छोड़िए कि वे आजम ख़ान की राजनीतिक सेहत पर इसकी आँच आने देंगे।

पिछले दिनों दिल्ली में हुए एक समारोह में उत्तर प्रदेश के पूर्व मुख्यमन्त्री इस बात को लेकर बहुत उत्तेजित थे कि एक अख़बार ने उनकी तुलना औरंगज़ेब से कर दी है। यह उन्हें अपने लिए घोर अपमानजनक लग रहा था। मुसलमान शासक की पहचान से आहत नेता मंच पर अगर अपने नेता द्वारा एक स्त्री की अस्मिता पर प्रहार कर रहे बयान से 'कूल' थे तो यही पहचान की राजनीति की सीमा भी बताता है। एक पहचान अपने लिए वोट माँग सकती है, लेकिन दूसरे के लिए संवेदनशील नहीं हो सकती है। पहचान के सीमित दायरे में सामाजिक न्याय रखेंगे तो वह समाज को और विद्रूप व खोखला ही बनायेगा। कल तक सत्ता विरोधी रुझान आज जाति और धर्म की पहचान तक सीमित है तो उसका असर यह है कि पति शत्रुघ्न सिन्हा भाजपा को 'ख़ामोश' बोलकर कांग्रेस के सदस्य बनते हैं तो उनकी पत्नी समाजवादी पार्टी की सदस्यता ग्रहण कर अचानक राजनाथ सिंह के मुक़ाबले खड़ी कर दी जाती हैं। नयी–नयी सपाई बनीं पूनम सिन्हा के लिए कार्यकर्ता जब तालियाँ बजा रहे हैं तो उनके लिए नयी–नयी भाजपाई बनीं जयाप्रदा के लिए कोई संवेदनशीलता और हमदर्दी नहीं है। अब पूनम सिन्हा को महिला सशक्तीकरण के उदाहरण के रूप में पेश कर दिया जाता है। जयाप्रदा और राबड़ी देवी को भी आज यह अपमान इसलिए झेलना पड़ रहा है कि राजनीति में उन दोनों का प्रवेश मर्दवादी समीकरण के संरक्षणवाद के तहत ही हुआ था। आज़ादी के बाद से 2019 तक महिलाओं के प्रतिनिधित्व का यही समीकरण है।

2019 के चुनावी पाठ को देखिए। केन्द्र की मन्त्री ऑनलाइन सर्वेक्षण करवाती हैं कि उनके साथ ग़लत भाषा नहीं बोली जाये। मन्त्री का कसूर था कि पासपोर्ट कर्मचारी के दुर्व्यव्हार मामले में उन्होंने एक हिन्दू–मुसलिम दम्पति के पक्ष में क़दम उठाया था। यह बात उनकी पार्टी के समर्थकों को नागवार गुज़री और जब मन्त्री ने इसके ख़िलाफ़ अपनी आवाज़ उठाई तो मन्त्री के पति तक सन्देश पहुँचा दिया गया कि उन्हें अपनी पत्नी को पीटना चाहिए। स्मृति ईरानी से लेकर प्रियंका गाँधी वाड्रा

व प्रियंका चतुर्वेदी तक को जो लैंगिक दुराभाव झेलना पड़ा उसे देखकर जवाहर लाल नेहरू से ख़फा होना तो लाजिम है।

इस लैंगिक विमर्श में हम बहुत ज़िम्मेदारी और गम्भीरता से पिछले 70 साल और जवाहर लाल नेहरू को ला रहे हैं। नेहरू प्रतीक रहे हैं नये भारत के निर्माण के, छोड़ो कल की बातें, कल की बात पुरानी का नारा लगाने वाले। लेकिन दुखद है कि पिछले सत्तर साल में आधुनिकीकरण के साथ जो सामन्ती मानसिकता की दीवार मज़बूत हुई है वह पूरी प्रक्रिया पर सवाल उठाती है। पिछले सत्तर सालों में सामन्तवाद के ढाँचे को तोड़ने की ईमानदार कोशिश हुई होती तो आज ऊपर वर्णित समाचार प्रस्तोता और नेता एक–दूसरे को लेकर इतने हैरान–परेशान नहीं होते।

आज़ादी और आधुनिकीकरण के बाद भारतीय राज और समाज में महिला मुक्ति का सवाल सिर्फ़ प्रतिनिधित्व का सवाल बनकर रह गया। प्रतिनिधित्व के समीकरण ने महिला मुक्ति का मार्ग बनने ही नहीं दिया। सामाजिक संरचना में बदलाव किये बिना यह सम्भव भी कैसे हो सकता था। सामाजिक न्याय जैसा शब्द महिमामण्डित तो ख़ूब हुआ लेकिन इसका हासिल प्रतिनिधित्व तक रह गया। कुछ जगहों पर महिलाओं को जगह मिल गयी, लेकिन मालिकाना हक़ पितृसत्ता का ही रहा।

सामाजिक न्याय का मतलब है सामाजिक भेदभाव को दूर करना, और पिछले सत्तर सालों में इसकी सचेत कोशिश दूर–दूर तक नहीं दिखती। इसके लिए दरकार थी बुनियादी ढाँचे में ईमानदार बदलाव की। समाज में जो अधिकार हैं, ज़मीन का सवाल है, खेती–किसानी और अन्य सम्पत्ति का बँटवारा, इन बुनियादी सवालों में कोई परिवर्तन आया क्या? इन सबको दरकिनार कर महज़ प्रतिनिधित्व के ज़रिये पितृसत्ता से मुक्ति मिल जायेगी क्या?

ढाँचे को यथावत रख प्रतिनिधित्व के सिंहासन पर बैठाने की साज़िश यही है कि सामन्ती क़िले को मलबा होने से बचाया जाये। औरत–मर्द, ऊँच–नीच, अगड़ा–पिछड़ा की मुखर पहचान बनी रहे। कुछ चेहरों को प्रतिनिधित्व देकर बदलाव की पूरी मुहिम पर चुप्पी साध ली जाये। लेकिन यहाँ ध्यान रखने की बात यही है कि प्रतिनिधित्व सीमित होता है और सामाजिक न्याय असीमित। और, इसी असीमित से डरती है सामन्ती व्यवस्था। आज़ादी के बाद जनता की सोच में परिवर्तन का

लक्ष्य हो सकता था, सामन्ती चेतना बदलने का, जिसमें हमारी सत्तर साल वाली व्यवस्था नाकाम रही। सामाजिक न्याय की हाँडी चढ़ाकर उसमें परिवारवाद की खिचड़ी पकाई गयी। जातिवादी समीकरण से सत्ता हासिल करना ही लक्ष्य बन गया है। तो ऐसा समाज महिलाओं को कितना न्याय दे सकता है, यह कोई बहुत उलझन भरा सवाल नहीं है।

चाहे राबड़ी देवी हों या जयाप्रदा, इनके प्रति मर्दवादी सामन्ती टिप्पणियों से नाराज़गी किनको है? बुरा उन्हीं को लग रहा है जो सामन्ती सोच से आगे बढ़ चुके हैं। और इतना सा भी उदारीकरण पूँजीवादी बाज़ार की स्वचालित सीढ़ियों की वजह से आया है न कि सामाजिक न्याय की सीढ़ियों पर हाँफ कर चढ़ने से।

आज जब ऐसे मामलों पर सुप्रीम कोर्ट या चुनाव आयोग कोई फ़ैसला सुनाता है तभी हम सन्तोष व्यक्त कर पाते हैं। लेकिन कुछ संवैधानिक संस्थानों के ज़रिये हम चेतना को नहीं बदल सकते हैं। जब तक संरचना में बदलाव नहीं होगा तब तक चेतना में बदलाव नहीं होगा। सीने की पैमाइश को पैमाना बनाया जायेगा तो फिर महिलाओं के लिए घूँघट ही आयेगा। इस चुनावी पाठ का सार तो फ़िलहाल लोकतन्त्र को पौरुषतन्त्र में ही दिखा रहा है। अब जल्द से जल्द ये सूरत बदलनी चाहिए वरना महज़ हंगामा खड़ा करने वालों की फ़ौज खड़ी है।

20 अप्रैल 2019

2014 से 2019 के पाँच सालों में सबसे ज्यादा बोला गया शब्द था, 'विकल्प'। लेकिन 17वीं लोकसभा के लिए जब सारे महारथी चुनावी मैदान में आये तो विकल्प गुम होकर इस बात का संकल्प बन बैठा कि हम अपनी सीटों से कोई समझौता नहीं कर सकते हैं। कांग्रेस अध्यक्ष राहुल गाँधी और आम आदमी पार्टी के अगुआ अरविन्द केजरीवाल ने जितनी बार विकल्प गान गाया वह तो एक रेकार्ड ही होगा। लेकिन दिल्ली की सातों सीट पर अब कांग्रेस और आम आदमी पार्टी 14 की संख्या में आमने–सामने खड़े हैं, कांग्रेस नेता अजय माकन की इस चेतावनी के बावजूद कि अगर दिल्ली में आम आदमी पार्टी और कांग्रेस का गठबन्धन नहीं हुआ तो सातों सीटें भाजपा की झोली में जायेंगी। इन सबके बीच उदित राज का चौकीदार से डॉक्टर और डॉक्टर से चौकीदार होते हुए सीधे कांग्रेस के मंच पर खड़ा हो जाना पहचान की राजनीति की एक और अवसरवादी पहचान बता गया कि बिन टिकट सब सून। दिल्ली के मैदान पर इस बार का बेबाक बोल।

दर्द-ए-दिल्ली

बाजीचा–ए–अतफाल है दुनिया मेरे आगे
होता है शब–ओ–रोज तमाशा मेरे आगे

मिर्ज़ा ग़ालिब की बेगम कह रही थीं कि दिल्लीवाले उन्हें दिल्ली में मक़बूल नहीं होने देंगे और उन्हें आगरे लौट जाना चाहिए। जवाब में ग़ालिब कहते हैं, हिन्दू–मुसलमान और शिया व सुन्नी का झगड़ा कम था क्या जो ये आगरा, लखनऊ और दिल्ली की दीवारें खड़ी कर दीं। सोच–समझ के संकीर्ण दायरे को लेकर वे कहते हैं कि ये दुनिया उन्हें बहुत छोटी लगती है। उन्हें यह दुनिया छोटे बच्चों के खेल का मैदान लगती है। दिल्ली के हाल पर ग़ालिब की आह शेर बनकर निकल रही थी। मिर्ज़ा ग़ालिब ही कह गये थे, आह को चाहिए एक उम्र असर होने तक...। आज सदियाँ बीतने के बाद 2019 में दिल्ली के सियासी हाल पर आह ही निकल सकती है।

मतदातागण कृपया ध्यान दें, आप 2019 में हैं। लेकिन हम बात की शुरुआत ग़ालिब की ज़ुबानी कर दें। याद करें 2014 का वह समय जब सत्ता का विकल्प देने की बात होने लगी थी। उत्तर–दक्षिण, पूरब–पश्चिम बस चुनाव ही चुनाव था। इन पाँच सालों में भारत में राजनीतिक तापमान जितना ऊँचा रहा वह अलहदा ही था। विकल्प देने के लिए सब एकजुट होने की बात कर रहे थे। लेकिन जब बात दिल्ली की आयी तो लगा ही नहीं कि देश की राजधानी का मैदान इतना छोटा होगा कि राजनीति बच्चों का खेल लगने लगे।

दिल्ली का मतलब क्या है? क्या सिर्फ़ सात संसदीय सीट? इन सात सीटों से हार–जीत के तो मानक तय नहीं होने थे। लेकिन दिल्ली वह है जिसने आगरा की मंडी को बेदखल कर अपना बाज़ार बनाया। दिल्ली

प्रतीक है हुकूमत की। दिल्ली झण्डाबरदार है हिन्दुस्तान की। लेकिन दिल्ली को लेकर इतनी दिल्लगी क्यों?

दिल्ली के पूर्व कांग्रेस अध्यक्ष अजय माकन एक मंच पर कहकर जाते हैं कि अगर आम आदमी पार्टी और कांग्रेस में गठबन्धन नहीं होगा तो सातों सीट भाजपा की झोली में जायेंगी। उनकी यह चेतावनी गम्भीर थी। वे दिल्ली के दिग्गजों में हैं। उनकी इस चेतावनी के बाद और उसके पहले भी गठबन्धन के नाम पर चूहे–बिल्ली या आधुनिक शब्दों में कहें कि टॉम एंड जेरी वाला लुका–छिपी का खेल चलता रहा। आज कांग्रेस का नेता कोई बयान देता तो दूसरे दिन आम आदमी पार्टी का नेता उसके ख़िलाफ़। तीसरे दिन दोनों एक–दूसरे की बातों पर कहते कि ऐसा हो सकता है। कांग्रेस अध्यक्ष राहुल गाँधी गठबन्धन पर ट्वीट करते हैं तो ट्वीट बम गिराते रहने वाले मुख्यमन्त्री महोदय कहते हैं कि ये बातें क्या ट्वीट से कही जाती हैं।

गठबन्धन के नाटक के चरम पर पहुँचने के बाद दोनों दलों ने सातों सीटों पर अपने–अपने उम्मीदवार खड़े कर दिये हैं। सबसे मज़ेदार है अजय माकन का ख़ुद चुनाव के मैदान में उतरना जो गठबन्धन के बिना सातों सीट भाजपा को दे रहे थे। उन्हें टिकट मिल गया तो फिर किस बात का विरोध और किस बात का बन्धन। तो इन 14 उम्मीदवारों को मैदान में देखकर दिल्ली का बच्चा भी समझ जायेगा कि इन्हें देश की कितनी फ़िक्र है।

सातों सीट पर काबिज़ सत्ता पक्ष के सांसद ने टिकट के लिए ट्विटर पर जो खेल खेला उससे तो कोई भी असमंजस में पड़ जाये। आम तौर पर बच्चों के लिए सबसे मुश्किल सवाल होता है कि तुम्हें ज़्यादा प्यार मम्मी करती हैं या पापा। बच्चा अब क्या जवाब दे। हर बच्चे के अलग–अलग समीकरण होते हैं। कहीं मम्मी टॉफी दिलाती हैं तो कहीं पापा। तो बच्चा भी कभी मम्मी तो कभी पापा की ओर अँगुली कर देता है। बच्चे की बार–बार पसन्द बदलने पर मम्मी–पापा के साथ बच्चा भी खिलखिलाकर हँसता है। भाजपा के सांसद उदित राज भी किसी बच्चे की तरह कभी अपने नाम के साथ चौकीदार हटाकर डॉक्टर बन जाते तो फिर चौकीदारी की कमान सँभाल लेते। लेकिन जितनी जल्दी से उन्होंने कांग्रेस का हाथ थामा वंचित तबकों के लिए आवाज़ उठाने के नाम पर वह दिल्ली की राजनीति के प्रहसन में नया अध्याय लिख गया।

दिल्ली में तीनों दलों में से किसी को भी ख़ुद पर भरोसा नहीं था, इसलिए एक–दूसरे के उम्मीदवारों के पत्ते खुलने के बाद ही कुछ करना चाहते थे। इसके बाद भी दिल्ली के मैदान में कुछ उम्मीदवार जो लोकप्रियता की सीढ़ी से उतारे गये उनका यहाँ की जनता क्या करे। इतनी देर से उम्मीदवारी के ऐलान का हासिल–ए–दिल्ली क्या था। भाजपा ने पूर्वी दिल्ली से क्रिकेट खिलाड़ी गौतम गम्भीर को तो कांग्रेस ने दक्षिणी दिल्ली से उतारा मुक्केबाज़ विजेन्दर सिंह को।

दिल्ली के दंगल में दोनों दलों को वो चेहरे क्यों उतारने पड़े जो पहले से लोकप्रिय हैं। हाँ भई, उसने बहुत रन बनाया, हाँ भई उसने घूँसा चलाया और पदक कमाया। हंसराज हंस की गायकी तो सूफ़ियाना कही जा रही है। लेकिन दिल्ली की जनता पूछ रही है कि राजनीति के मैदान में इनका क्या काम है ये तो पहले से ही नामदार हैं, वो कहाँ गये जो काम नहीं करने के लिए बदनाम हैं। जनता काम ढूँढ़ती रह जायेगी और वे नाम लेकर आ जायेंगे।

लोकतन्त्र एक व्यापक अवधारणा है जिसका सबसे लोकप्रिय कथन है–जनता का, जनता के लिए और जनता द्वारा। कई विद्वानों ने बिना शिक्षा, अधिकार और सतर्क नागरिक के इस ढाँचे पर ही सवाल उठाये हैं। आज़ादी के बाद आज 2019 का चुनाव देखकर लग रहा है कि अभी हम लोकतन्त्र की बुनियाद पर ही टिके हैं। मतलब कि पाँच साल में एक बार चुनाव हो गया और हमारा लोकतन्त्र बच गया। लेकिन पाँच साल के बाद जो चुनाव का ढाँचा तैयार कर दिया जा रहा है उसमें जनता कहाँ है। वह क्या वोट डालकर और आज के समय में स्याही वाली अँगुली की सेल्फ़ी लेकर सन्तुष्ट हो जाये?

पिछले कुछ समय से चुनावों का जो अराजनीतिकरण कर उसे एक के निज बनाम दूसरे का निज बनाया जा रहा है, वह भारत के लोकतन्त्र को और पीछे की तरफ़ धकेल रहा है। कुछ बयान उछालो और पत्रकार से लेकर बुद्धिजीवी तक को उसके पीछे हाँक डालो। चुनाव एक सार्वजनिक अवधारणा है लेकिन नेता उसे निजत्व तक लाने में कामयाब हो रहे हैं। लोकतन्त्र में सर्वजन को ख़त्म कर एक जन को लाने की ही परिपाटी है कि नेताओं को पछाड़ कर अभिनेता कामयाब हो जाते हैं। कल तक विकल्प का राग अलापने वाले आम आदमी पार्टी के संस्थापक सदस्यों में से एक और वर्तमान में 'स्वराज इंडिया' के अगुआ

योगेन्द्र यादव आज लोगों से नोटा को चुनने की वकालत कर रहे हैं। क्या लोकतन्त्र नोटा से मज़बूत हो सकता है? पाँच साल तक विकल्प का सामूहिक गान गाने के बाद आज आमने–सामने 14 लोग खड़े हैं और वे विकल्प में नोटा को ला रहे हैं।

पिछले पाँच साल से एक ख़ास तरह का नारा देने वालों ने दिल्ली में जो चुनावी पाठ तैयार किया है, वह 2014–2019 का उपसंहार है। राजनीति के इतिहास में दर्ज होगा कि लोकतन्त्र में लोक को भूल निजी हितों का उत्सव बना दिया गया। क्या हम आज यह सोच कर दुखी हो लें कि कल हमारे बच्चे सत्रहवीं लोकसभा का कैसा पाठ पढ़ेंगे।

27 अप्रैल 2019

2014 में वाराणसी संसदीय सीट से प्रधानमन्त्री पद के मजबूत दावेदार के खिलाफ़ आम आदमी पार्टी के अगुआ अरविन्द केजरीवाल खड़े हुए थे। तब जबकि भाजपा प्रचण्ड बहुमत के साथ नहीं आयी थी और देश में विकल्प–राग नहीं उठा था केजरीवाल ने प्रतिरोध की अपनी ज़िम्मेदारी निभायी थी। पाँच साल बाद 2019 में महागठबन्धन एक साधारण उम्मीदवार को प्रधानमन्त्री के सामने खड़ा कर देता है। तभी उसे सोशल मीडिया पर वायरल हुए सेना से बर्ख़ास्त जवान तेज बहादुर के प्रतिरोध की आवाज़ सुनाई पड़ती है और वायरल बुख़ार की पीड़ा में तेज बहादुर यादव को अपना टिकट देता है। मायावती, मुलायम, प्रियंका जैसे चेहरों के बीच विपक्ष तेज बहादुर का सहारा क्यों लेता है? तेज बहादुर तो अपने प्रतिरोध की आवाज़ उठाने में कामयाब रहे लेकिन विपक्ष के रवैए ने जो विकल्प–वध किया है उस पर बेबाक बोल।

विकल्प की व्यथा

बुतखाना नया है न खुदाखाना नया है
जज़्बा है अकीदत का जो रोज़ाना नया है...
काशी का मुसलमाँ है 'नजीर' उससे भी मिलिए
उसका भी इक अन्दाज़ फ़क़ीराना नया है...

एक बार किसी ने सवाल पूछा कि हिन्दुस्तान में ज़्यादातर वित्त मन्त्री अंग्रेज़ी में बजट पेश करते हैं लेकिन बीच में उर्दू शायरी क्यों सुनाते हैं। ज़्यादातर जज अपना फ़ैसला अंग्रेज़ी में लिखते हैं लेकिन फ़ैसला सुनाते वक़्त उर्दू के शेर पर क्यों आते हैं। और अगर हम इश्क़ में हों तो फिर हमारी जुबाँ पर उर्दू और शेरो–शायरी क्यों उतर जाती है।

चुनावी पाठ में हाल–ए–बनारस देखने के बाद समझ आया कि उर्दू के अशआर में वह कूबत है कि चन्द लाइनों में फलसफ़ा समा जाता है। ज़मीनी सच जब ख़ौफ़नाक दिखता है तो आप पर रूहानी इश्क़ तारी हो जाता है। हम देखेंगे वो दिन कि जिसका वादा था कहने वालों ने ऐसी वादाख़िलाफ़ी की कि लौह–ए–अजल आने पर उम्मीदों का पहाड़ रुई के फाहों की तरह उड़ गया।

उत्तर प्रदेश और वाराणसी वह जगह है जिसने 2014 में इतिहास रचा था। उस इतिहास के बाद से ही एक जंग शुरू हुई, जिसका ख़ूबसूरत–सा नाम विकल्प दिया गया। अब जिस सीट पर प्रधानमन्त्री का पर्चा भरा जाना तय था, वहाँ इन विकल्प वालों की तैयारी क्या थी? एक चेहरा तो पाँच साल से तय था और विपक्ष के एक चेहरे को इन्दिरा गाँधी द्वितीय का खिताब पहनाकर उतारा गया था। वहाँ पर उस नये चेहरे की उम्मीदवारी की हवा भी बनाई गयी। विकल्प के उम्मीद वालों ने ताली भी बजाई। लेकिन यह वैसी ताली साबित हुई जो अपने ही हाथों

में चोट और कानों में शोर करे। प्रियंका गाँधी वाड्रा को वाराणसी सीट से नहीं उतारा गया। चलिए, कांग्रेस की मजबूरी समझी जा सकती है कि वह अपने तुरुप के पत्ते को इस तरह जाया नहीं कर सकती थी। लेकिन विकल्प के लिए टक्कर देने वाले महागठबन्धन का क्या रवैया रहा?

वाराणसी की सीट पर महागठबन्धन की तरफ़ से शालिनी यादव के नाम का ऐलान होता है। यह कोई बहुत मज़बूत और ज़मीनी नाम नहीं था, और इस नाम के साथ ही समझ आ गया कि जंग–ए–विकल्प का जज़्बा कैसा है। तभी सेना से बर्ख़ास्त जवान तेज बहादुर की आवाज़ सुनाई देती है जिसने वाराणसी से पर्चा भरा था। यह उनके प्रतिरोध का तरीक़ा था और जनता उनके जज़्बे को सराह भी रही थी। आम चुनावों में पहले भी ऐसा होता रहा है कि सत्ता के सामने प्रतिरोध की शक्ति ने आवाज़ बुलन्द की। तभी महागठबन्धन ने शालिनी यादव को पीछे कर तेज बहादुर यादव को अपना उम्मीदवार घोषित कर दिया। नामांकन दस्तावेज़ों में तकनीकी गलतियाँ बताकर तेज बहादुर यादव का नामांकन रद्द कर दिया गया।

मुद्दा तेज बहादुर के नामांकन रद्द होने का नहीं, विपक्ष की नीयत का है। आख़िर लोकसभा चुनाव में किसको, किस आधार पर टिकट दिया जाये। तेज बहादुर ने सेना के भ्रष्टाचार पर आरोप लगाये और लोकप्रिय हुए। इसके अलावा उनकी राज और समाज की समझ कितनी है यह उनकी फेसबुक की पुरानी पोस्ट से समझा ही जा सकता है। उनका बनारस की ज़मीन और वहाँ की जनता से कोई नाता भी नहीं था। वे प्रतिरोध दर्ज करने के मक़सद से चुनावी मैदान में उतरे और इसमें कामयाब भी हुए। तेज बहादुर तो कामयाब रहे लेकिन महागठबन्धन फेल हो गया। सबसे मज़बूत सीट का प्रत्याशी सोशल मीडिया पर वायरल मुद्दों से नहीं चुना जाता। विपक्ष का यह क़दम प्रधानमन्त्री के क़द के आगे उसका समर्पण ही था। ऐसा कर न सिर्फ़ उसने तेज बहादुर के प्रतिरोध की बल्कि विकल्प के उम्मीद की भ्रूण–हत्या कर दी।

देश के राजनीतिक नक़्शे पर केन्द्रीय स्तर पर महागठबन्धन जैसी कोई चीज़ सम्भव दिख भी नहीं रही थी। और, इस सच्चाई को स्वीकारना बहुत मुश्किल नहीं था। भाजपा और कांग्रेस को छोड़ दें तो अब कुछ ही दल वैसे हैं जो अखिल भारतीय स्तर पर चुनाव लड़ने की ताक़त रखते हैं। बसपा और वामपन्थी दलों के अलावा ज़्यादातर अपने क्षेत्र में

सिमटे हैं। इसलिए इनके बीच राष्ट्रीय स्तर पर गठबन्धन की उम्मीद ही बेमानी थी।

चूँकि मुख्य ताक़त के तौर पर कांग्रेस और भाजपा दो ही दल हैं तो दूसरा विकल्प यही था कि अपने-अपने स्तर पर क्षेत्रीय गठबन्धनों की ज़िम्मेदारी ये दोनों लें। कांग्रेस के पास इतनी ताक़त नहीं थी कि प्रधानमन्त्री पद की दावेदारी के साथ वह कोई राजनीतिक समझौता कर सके। ख़ासकर तब जब हर क्षेत्रीय क्षत्रप का यही सपना है कि वह भी प्रधानमन्त्री बन सकता है। कांग्रेस ने कर्नाटक मॉडल लागू कर समर्पण भी कर दिया था। कर्नाटक विधानसभा चुनाव तक कांग्रेस का यही संकेत था कि हम 2024 के लिए लड़ रहे हैं।

2014 में भाजपा को भी अन्दाज़ा नहीं था कि उसे ऐसा प्रचण्ड बहुमत मिलेगा कि वह अपने दम पर केन्द्र की सरकार बना लेगी। इतनी मज़बूत स्थिति में रहने के बाद भी भाजपा ने अपने गठबन्धन के दलों के सामने थोड़ा झुकने से परहेज़ नहीं किया। जब सामने लक्ष्य बड़ा था तो छोटे लाभ का मोह छोड़ दिया।

एक मज़बूत सरकार को लेकर विपक्ष की रणनीति क्या रही। उसकी भाषा रही इसका विरोध या उसे हटाओ। रोज़ी–रोटी की समस्या पर तो विपक्ष भी बगलें ही झाँक रहा था। अगर सरकार ज़मीनी योजनाओं पर नाकाम है और लोग ग़ुस्से में हैं तो क्या विपक्ष उस ग़ुस्से के साथ हो पाया? विपक्ष इतनी मेहनत नहीं कर पाया कि यह ग़ुस्सा विकल्प की शक्ल बनता। विपक्ष ने जनता के ग़ुस्से को नहीं बल्कि सत्ता में अपने हिस्से को प्राथमिकता दी।

सीटों को लेकर विपक्ष की मारामारी देखने के बाद ही भाजपा इस बात पर हमलावर है कि आपके पास हमारे विरोध के अलावा है भी क्या। क्या सिर्फ़ इसी के आधार पर उसे सत्ता से हटाया जा सकता है कि 'विकल्प' को सत्ता पाना है।

कांग्रेस भाजपा के विकल्प के रूप में छवि पेश कर ही वापसी कर सकती थी। लेकिन क्षेत्रीय दलों के साथ वह उसी रूप में अपना चेहरा लेकर नहीं जा सकती थी। नतीजतन उत्तर प्रदेश और बंगाल जहाँ वो भाजपा को टक्कर दे सकती थी वहाँ वो गठबन्धन से बाहर थी क्योंकि वहाँ प्रधानमन्त्री पद के दावेदार पहले से हैं। एक सिर्फ़ बिहार ऐसी जगह

बची थी जहाँ राहुल गाँधी को प्रधानमन्त्री के उम्मीदवार के तौर पर स्वीकारने की बात हो रही थी।

दक्षिण भारत में भी कांग्रेस ने सीटें बढ़ाने का ही समीकरण रख माकपा के साथ रिश्ते खट्टे कर लिए। इसके पीछे सोच यही है कि राज्य में अगर माकपा जीत भी जायेगी तो क्या, केन्द्र में उसकी सरकार तो नहीं ही बननी है। केन्द्र में सरकार बनाने के लिए अधिकतम प्राप्ति के मोह में विपक्ष का राष्ट्रीय स्तर पर गठबन्धन नहीं हो सका।

हिन्दी पट्टी के तीन राज्यों में जीत के बाद जो ज़मीन बनी उस पर कांग्रेस को अपने जीवित होने की उम्मीद की बेल चढ़ती दिखी और उसने कर्नाटक मॉडल को विदा कर अपने अधिकतम की गिनती शुरू कर दी। यहाँ तक कि दिल्ली में भी वो आम आदमी पार्टी के ख़िलाफ़ सातों सीटों पर खड़ी है और केजरीवाल की भाषा में 'वोटकटवा' का खिताब पा रही है। वाराणसी से लेकर पूरे राष्ट्र के स्तर तक ये 'वोटकटवा' उस विकल्प की उम्मीद के भ्रूण हत्यारे हैं जो 2014 में दिखाई गयी थी। अब सारी लड़ाई सत्ता और जनता के बीच है। इन दोनों की लड़ाई में जो खोया या पाया होगा वह विशुद्ध जनता का होगा, चाहे सत्ता का संकल्प या विपक्ष का विकल्प।

4 मई 2019

पानी बीच मीन प्यासी/मोहे सुन सुन आवै हासी/आतम ज्ञान बिन जग सूना/कोई मथुरा कोई काशी...इस पद के कई पाठों को पढ़कर लगता है कि कबीर के पास समय के पार जाने की मशीन थी और वे 2019 के चुनावी प्रहसन पर कविताई कर रहे थे। चुनावी मैदान से जिस तरह के बयान सामने आ रहे हैं वे हमें एक मिनट के लिए सोचने को मजबूर करते हैं कि यही लोग हमारे लिए नीति–निर्धारण करेंगे। अपने काम पर भरोसा नहीं कर पाने वाले राजनीतिक दल छोटे–बड़े पर्दे के नामदारों को टिकट दे देते हैं। लेकिन यथार्थ की ज़मीन पर आते ही ये कलाकार अपने नायकत्व का चोला उतार प्रहसन में तब्दील हो जाते हैं। इन दिनों बड़े नामों के दर्शन छोटे होने के हालात पर बेबाक बोल।

पानी बीच मीन प्यासी

1k'ky ehfM;k ij 0;X;

एक आदमी शहर में घूमते हुए दूसरे आदमी से टकराया। दूसरे आदमी ने उससे पूछा, भाई साहब क्या आपको पता है कि इस शहर में सूरज किधर से उगता है। दूसरे आदमी ने कहा, मैं कैसे बता सकता हूँ, अभी तो इस शहर में नया हूँ।

pukoh enku dk 1p

पत्रकार : आपको लगता है बालाकोट स्ट्राइक से देश को कुछ फ़ायदा हुआ है?

सन्नी देओल : क्या स्ट्राइक? कौन स्ट्राइक? मुझे इन चीज़ों के बारे में कुछ ख़बर नहीं है। मैं यहाँ आया हूँ। लड़ने आया हूँ और मैं चाहता हूँ जीत जाऊँ। फिर आपसे जुड़ूँगा तो इन सब चीज़ों पर बातें करूँगा। फ़िलहाल मैं यही चाहता हूँ कि मैं जीत जाऊँ और अपने देश की सेवा करूँ।

टीवी पत्रकार : भारत ने 1971 में पाकिस्तान के दो टुकड़े कर दिये थे और नये देश बांग्लादेश का निर्माण किया था।

हंसराज हंस : अच्छा! मैं उस वक़्त बहुत छोटा था और मुझे उसके बारे में कुछ याद नहीं।

2019 का चुनावी पाठ राजनीति और समाजशास्त्र की पुस्तकों के लिए कितनी अहमियत रखेगा यह तो मालूम ही है लेकिन चुनावी मैदान में उतरे दिग्गज़ों के बयानों से चुटकुलों की एक किताब ज़रूर तैयार हो जायेगी। गुरदासपुर पंजाब की पहचान है और सिनेमाई पर्दे ने सन्नी देओल को 'पंजाब दे पुत्तर' की पहचान दे रखी है। इसी सिनेमाई पहचान

को सच मान और हिन्दी फ़िल्मों में उनकी देशभक्ति से प्रभावित हो उन्हें चुनावी टिकट भी दे दिया जाता है। लेकिन जब चुनावी सभा में उन्हें गुरुमुखी लिपि में लिखा पढ़ने को दिया जाता है तो वो साफ़ कहते हैं कि उन्हें पंजाबी बोलनी आती है, पंजाबी पढ़ नहीं पाते हैं।

हंसराज हंस की सूफ़ियाना आवाज़ वोट लेने में कितनी मददगार होगी पता नहीं, लेकिन टीवी चैनल पर वे तर्क देते हैं कि वे बहुत छोटे थे इसलिए उन्हें 1971 के भारत–पाकिस्तान की जंग और बांग्लादेश के जन्म के बारे में पता नहीं। वैसे विभिन्न स्रोत बताते हैं कि उनकी उम्र 57 साल है। सन्नी देओल की सौतेली माँ हेमा मालिनी मथुरा में चुनाव प्रचार के दौरान फ़सल काटती दिखती हैं और उनकी खेतों में काम करती वायरल तस्वीर का मज़ाक भी उड़ता है। इस पर हेमा मालिनी बहुत ईमानदारी से कहती हैं कि वो तो उन्होंने फ़सल काटने का अभिनय किया था, जीतने के बाद फ़सल काटना सीखेंगी।

यह तो शुक्र है कि सन्नी देओल और हेमा मालिनी एक ही पार्टी के हैं। असली समानान्तर सिनेमा तो उत्तर प्रदेश के लखनऊ में दिखा। भाजपा के शत्रु बने ख़ामोश वाले सिन्हा को कांग्रेस अपना टिकट देती है। उनकी पत्नी पूनम सिन्हा को समाजवादी पार्टी और बसपा का गठबन्धन लखनऊ से राजनाथ सिंह की टक्कर का मान टिकट देता है। अब पूर्व भाजपाई और वर्तमान कांग्रेसी उम्मीदवार, शत्रुघ्न सिन्हा लखनऊ में अपनी पत्नी पूनम सिन्हा के लिए प्रचार करने के लिए जाते हैं और कहते हैं कि कांग्रेस नेतृत्व को इससे कोई परेशानी नहीं है।

इस स्तम्भ में हम पहले भी उस हालात का ज़िक्र कर चुके हैं जब हेमवती नन्दन बहुगुणा जैसे ज़मीनी नेता को हराने के लिए कांग्रेस ने अमिताभ बच्चन को टिकट दिया और पर्दे के नायक के सामने ज़मीनी नायक टिक नहीं पाया। भारतीय राजनीति में फ़िल्मी सितारों का जलवा हमेशा रहा है। इसके पहले यह भी था कि कला के चेहरे इक्का–दुक्का रहते थे। लेकिन इस बार जिस तरह से पर्दे और मंच के नामदारों को तवज्जो दी गयी है वहाँ कामदारों के लिए सवाल तो उठ ही रहा है।

ये नामदार बस एक ही जुमले के साथ आते हैं, हमें तो जीतना है। जीतने के बाद फ़सल काटना भी सीख लेंगे और बालाकोट के बारे में भी

सामान्य ज्ञान अर्जित कर लेंगे। फ़िलहाल तो हमें जीतना है। यहाँ सवाल उठता है कि वह कौन–सी वजह है कि राजनीतिक पार्टियाँ इन नामदारों को अपने पाले में खींचने के लिए लालायित रहती हैं।

पिछले दिनों पूर्वी दिल्ली में बतौर घरेलू सहायिका काम करने वाली एक लड़की से पूछा, प्रियंका गाँधी के बारे में कुछ जानती हो। उसने सूनी आँखों से अनभिज्ञता ज़ताते हुए न में सिर हिला दिया। फिर पूछा कि प्रियंका चोपड़ा के बारे में क्या जानती हो? अब उसकी आँखों में चमक थी और होंठों पर फूटता हुआ जवाब था, देसी गर्ल... निक जो... से शादी की है...वो उमर में प्रियंका से बहुत छोटा है। उसकी तो सारी फ़िल्में टीवी पर देखी हैं।

कमज़ोर आर्थिक तबके की उस लड़की की आँखों में प्रियंका गाँधी के नाम से चमक क्यों नहीं आयी? अगर वह प्रियंका गाँधी के बारे में थोड़ा–बहुत जानती भी है तो उसके बारे में बात करना पसन्द क्यों नहीं किया? इसका जवाब प्रियंका गाँधी ही बहुत पहले दे चुकी हैं कि मैं तो बरसाती मेढ़क हूँ।

हमारे देश में जैसे–जैसे लोकतन्त्र की उम्र बढ़ रही है वैसे–वैसे वह लोक से दूर हो रहा है। चुनाव जीतने वाले ज़्यादातर नेता अपने संसदीय क्षेत्र से ग़ायब रहते हैं क्योंकि सबने मिलकर ख़ुद को जिताने और हराने की ख़ास व्यवस्था कर ली है। इसमें ज़्यादातर राजनीतिक दल मिले हुए हैं। चुनाव अब काम नहीं धन–बल, जाति और भेदभाव की लड़ाई पर जीता जा रहा है। जनता को इस हालात के आगे समर्पण करने का प्रशिक्षण भी दिया जा रहा है।

चुनाव जीतने के बाद नेता ग़ायब हो जाते हैं और टीवी से लेकर मोबाइल पर सालों भर अभिनेता कायम रहते हैं। वह अभिनेता पर्दे पर एक झटके में पाकिस्तान को सबक भी सिखा देता है तो नेता और माफिया के आगे 'सिंघम' भी बन जाता है। रूमानी गीतों और हसीन लोकेशन में थोड़ी देर अपना दुख तो भूल जाती है आम जनता। बॉलीवुड की फ़िल्में अभी तक काल्पनिकता में होती हैं इसलिए वहाँ बुराई पर अच्छाई की ज़ीत के साथ समापन होता है। इसलिए साल भर अपने आस–पास प्रियंका चोपड़ा को देखने वाली कमज़ोर तबके की लड़की उसी पर्दे वाले सपने को वोट देना पसन्द करने लगती है।

लेकिन पर्दे वाला हसीन सपना जल्दी टूट भी जाता है और जनता हीरो को जीरो बनाने में देर नहीं लगाती। कभी खुद को सरकार का चम्मच बोलकर गर्व करने वाले अनुपम खेर को चण्डीगढ़ के मतदाता ने ऐसा शर्मसार किया कि उन्हें पता चला होगा कि बिना पटकथा के नायक बनना कितना मुश्किल है। चण्डीगढ़ में किरण खेर के लिए वोट माँगने के लिए जब उनके पति एक दुकान में पहुँचे तो दुकानदार ने 2014 का घोषणापत्र सामने रखकर पूछ दिया कि इनमें से कौन–सा वादा पूरा किया है। चण्डीगढ़ के इस जागरूक मतदाता का वीडियो जितनी तेज़ी से सोशल मीडिया पर वायरल हो रहा है, वह बताता है कि अभिनेता जी हों या नेताजी असली मुद्दे पर तो आना ही होगा।

अब जनता की बात हो रही है तो स्तम्भ का समापन भी चुटकुले से। एक गाँव का आदमी मुम्बई के समुद्र तट पर खड़ा होकर कौवों को देख रहा था। तभी एक आदमी ने कहा कि लगता है मुम्बई में नये आये हो इसलिए कौवों को देख रहे हो। ग्रामीण आदमी के हाँ कहने पर उसने कहा कि जितने कौए देखे उस हिसाब से दस रुपये दो। आदमी ने उसे तीस रुपये दिये, और अपने गाँव में फ़ोन कर अपनी पत्नी को बताया कि आज मैंने सत्तर रुपये बचा लिए क्योंकि मैंने देखे तो दस कौए थे।

चुटकुले में मूर्खता की गाथा होती है। नेता और अभिनेता तो जनता को बहुत मूर्ख बना चुके और अब गेंद जनता के पाले में है। देखते हैं 23 मई को कि जनता ने कितने कौए देखे। जनता मूर्ख बनी कि नेताओं की अक्ल ठिकाने आयी। लेकिन इस बार का चुनावी पाठ यही कह रहा–यह राजनीति का प्रहसन काल है।

10 मई 2019

देश की शान दिल्ली और दिल्ली की शान नयी दिल्ली। दिल्ली में इस बार महज़ 60.27 फ़ीसद मतदान हुआ और सबसे कम अमीरों और सामाजिक वरिष्ठों की बस्ती नयी दिल्ली में हुआ। राममनोहर लोहिया ने कहा था कि ज़िन्दा कौमें पाँच साल इन्तज़ार नहीं करतीं। लेकिन पाँच साल बाद भी जनता का मध्य वर्ग सोच रहा था कि सब एक जैसे हैं, किसे और क्यों वोट दें। दूसरा उच्च वर्ग सोच रहा था कि कोई आये–जाये हमारी सेहत पर क्या फ़र्क़ पड़ता है। तीसरा कमज़ोर तबके का वर्ग सबसे ज़्यादा संख्या में वोट करने निकला क्योंकि उसे इस जनतन्त्र से अपने लिए कुछ हासिल करने की आस है। दिल्ली जैसे शहरों में लोकसभा चुनाव जैसा महापर्व उनके दम पर टिका रहा जिन्हें सरकारों से सबसे कम मिला है। पिछली बार की तुलना में इस बार देश के कई इलाकों में मतदान फ़ीसद गिरा है। लोगों की राजनीतिक उदासीनता के कारण खोजने की कोशिश करता बेबाक बोल।

बेदम दिल्ली

'हमीं हैं मौजिब–ए–बाब–ए–फ़साहत हजरत–ए–'शाइर'
ज़माना सीखता है हम से हम वो दिल्ली वाले हैं...'

एक शायर कहते हैं कि दिल्ली रास्ता दिखाती है। लेकिन मतदान को लेकर ऐसा सिर्फ़ 1977 में हुआ। यही वह साल था जब आपातकाल के बाद दिल्ली की जनता ने 71.31 फ़ीसद मतदान किया था। जब हम कहते हैं कि आदर्श स्थिति सौ फ़ीसद मतदान की होनी चाहिए तो दिल्ली के पास आदर्श इतना पुराना और कमज़ोर है। छठे चरण के मतदान के आँकड़े बता रहे हैं कि दिल्ली वालों की राजनीतिक और सामाजिक चेतना इतवार की छुट्टी की तरह अलसाई हुई रही। बुनियादी लोकतान्त्रिक अधिकार और ज़िम्मेदारी को लेकर राष्ट्रीय राजधानी उन इलाकों के सामने बौनी साबित हुई जिन्हें दिल्ली की तुलना में छटाँक भर भी सुविधा और संसाधन नहीं मिले हैं।

रेगिस्तानी, द्वीपीय और बीहड़ जंगलों के पास से मतदान की ख़बरें आयीं। लोग सुबह उठकर कई कोस पैदल चलकर वोट देकर आये। कच्चे पुल से नदी पार किया, पहाड़ की ऊँचाई लाँघी और अपनी सरकार चुनने के लिए शिरकत की। वहीं दिल्ली में मतदान के दिन रविवार की छुट्टी थी। मतदाताओं और पीठासीन अधिकारियों की सुविधा के लिए सुबह चार बजे से दिल्ली मेट्रो की सेवा शुरू कर दी गयी। बसों की सेवा बढ़ा दी गयी। चुनाव आयोग ने हर केन्द्र पर ठण्डे पानी और छाँव का इन्तज़ाम कर रखा था। ज़्यादातर केन्द्रों पर मतदाताओं को मतदान के बाद टॉफी और गुलाब के फूल दिये गये। आयोग की तरफ़ से मतदान केन्द्रों पर सेल्फ़ी प्वाइंट भी बनाये गये। इतनी सुविधाओं के बावजूद दिल्ली की जनता ने निराश किया।

देश की राजधानी दिल्ली और सात संसदीय सीट। लोकसभा चुनाव के छठे चरण में इन सीटों पर उम्मीदवार शीला दीक्षित, अजय माकन, डॉक्टर हर्षवर्धन, मीनाक्षी लेखी और आतिशी जैसे लोग हैं। इस बार भाजपा–कांग्रेस और आम आदमी पार्टी ने चुनाव जीतने के लिए पूरा ज़ोर भी लगा दिया। ध्यान देने की बात है कि उत्तर पूर्वी दिल्ली में सबसे ज़्यादा और नयी दिल्ली सीट पर सबसे कम मतदान हुआ। नयी दिल्ली, जैसे नाम से ही ज़ाहिर है, अपनी अलग शान रखती है। देश के दूसरे भाग से आये लोग यहाँ के किराये के मकानों में भी इसलिए रहना पसन्द करते हैं कि यहाँ का डाक पता शान की बात हो जाती है। यहाँ चमचमाती कालोनियाँ और महँगे स्कूल हैं। इन स्कूलों में नर्सरी दाखिले के लिए अभिभावकों की जितनी लम्बी क़तार लगती है, मतदान केन्द्रों पर वह क़तार उतनी ही छोटी दिखी।

यूपीए शासन के दूसरे दौर में दिल्ली नये प्रतीकों की राजनीति का केन्द्र भी बनी। भ्रष्टाचार विरोधी आन्दोलन ने अण्णा आन्दोलन का रूप धरा। जन्तर मन्तर से लेकर रामलीला मैदान तक राजनीतिक प्रशिक्षण की पाठशाला बन गये थे। इन मंचों से चुनाव सुधारों की बात भी शुरू हुई थी। चुनाव ख़र्च, लोकपाल जैसे मुद्दों से लगा था कि दिल्ली से उठी यह हवा देश बदलने वाली है। दिल्ली की जनता ने इन आन्दोलनकारियों का साथ भी दिया और आम आदमी पार्टी को राष्ट्रीय राजधानी की अगुआई सौंपी। लेकिन आन्दोलन से जन्मी यह ख़ास पार्टी सत्ता का हिस्सा बनते ही समाज से लेकर राजनीति के सुधारों को भुलाने में वैसे ही आम हो गयी जैसा सभी पार्टियाँ करती हैं। शिक्षा और समाज सुधार के लिए काम करने वाले लोगों की जो फ़ौज आम आदमी से जुड़ी थी वह जल्दी ही अपने हथियारों को उलटा कर बैरक में चली गयी। पूर्व एडमिरल रामदास जनलोकपाल–जनलोकपाल की रट लगाते रह गये जो अरविन्द केजरीवाल के कानों तक पहुँचनी बन्द हो गयी।

2014 से लेकर 2019 तक देश की राजधानी दिल्ली ने कई आन्दोलन देखे। पूरे देश के किसान दिल्ली में जुटे और सरकार तक अपनी बात पहुँचाई। इस एक शहर से लोकतन्त्र बचाने के लिए सबसे ज़्यादा कविताएँ लिखी गयीं और नारे लगाये गये। इन सबके बावजूद लोग मतदान केन्द्र तक क्यों नहीं पहुँचे?

इस बार राष्ट्रीय राजधानी दिल्ली ही नहीं देश के कई इलाकों में मतदान फ़ीसद गिरा है। इसका सबसे पहला कारण यह है कि 2014 में वैकल्पिक राजनीति की सम्भावना जो तलाश रहे थे पाँच साल बाद उनमें निराशा का भाव जगा है। यूपीए और कांग्रेस के शासन के ख़िलाफ़ पूरे देश में वैकल्पिक राजनीति के लिए आन्दोलन उठा। केन्द्र से लेकर दिल्ली तक में उन्हीं वैकल्पिक ताक़तों की सरकारें चुनी गयीं। लेकिन दिल्ली विधानसभा में आम आदमी पार्टी और लोकसभा में भारतीय जनता पार्टी को चुनने वाली जनता ने इन दोनों की जंग देखी। पाँच साल तक दोनों में जिस तरह जंग की स्थिति रही उससे लोगों में सबसे ज़्यादा निराशा जगी। विधानसभा में आम आदमी पार्टी और लोकसभा में भाजपा को विकल्प बनाने वाली जनता को पता नहीं था कि दोनों विकल्प एक–दूसरे से ऐसे टकरायेंगे।

सात सीटों में फैली दिल्ली वर्गीय आधार पर त्रिकोण बनाती है। यहाँ सबसे बड़ा तबका मध्य वर्ग का है। पिछली बार राजनीतिक कार्यकर्ताओं ने इस वर्ग को घरों से निकालकर आन्दोलन की ज़मीन पर खड़ा किया। लेकिन आज यह वर्ग उदासनीता की इस स्थिति में पहुँच गया है कि सब एक जैसे हैं। यह वर्ग इस भाव का शिकार हो गया है कि हमारे वोट से कुछ फ़र्क़ नहीं पड़ता। सब एक ही थैली के चट्टेबट्टे हैं जैसे भाव वाले मतदाताओं के लिए नोटा का भी बखान किया गया। अगर किसी को वोट नहीं देना है तो नोटा को दीजिए। नोटा के ज़रिये राजनीतिक दलों से उदासीन लोगों को मतदान केन्द्र तक लाने की कोशिश की गयी। लेकिन यह सही विकल्प हो भी नहीं सकता। यह किसी का प्रतिनिधि नहीं हो सकता। संसद में यह न पक्ष में, न विपक्ष में बात कर सकता है। नोटा प्रतीक है उदासीनता का, नाउम्मीदी का। अब नाउम्मीदी के ज़रिये लोकतन्त्र को बचाने का मुगालता पालने वालों से क्या उम्मीद की जाये।

मध्य वर्ग के बाद आता है दिल्ली का उच्च वर्गीय तबका। इसे मालूम है कि कोऊ नृप होऊ हमें का हानि, कोई भी आये–जाये हमारी सेहत पर कोई फ़र्क़ नहीं पड़ता है। अपने भविष्य को लेकर भरोसेमन्द इस वर्ग को लेकर ही ज़्यादा नीतियाँ बनती हैं। इसे पता है कि इसे बिना माँगे ही मिलना है तो फिर यह वोट देने क्यों जाये।

अब बच गया निम्न आर्थिक वर्ग और कामगारों का तबका। यह वैसा

वर्ग है जिस पर हर तरह की मार पड़ती है। यही वर्ग महँगाई से लेकर भ्रष्टाचार तक को लेकर संवेदनशील है। यह वर्ग दिल्ली के ख़ज़ाने से निकले एक रुपये में से 15 पैसे की हिस्सेदारी पाने के लिए जंग लड़ता है। जब यह शहर के हाशिए पर अपनी झोंपड़ी बनाता है तो सरकारी अमला आँखें मूँदे रहता है, बीच में वह इन बस्तियों को अवैध मानकर तोड़ने आता है और चुनावी समय में नेता इन अवैध बस्तियों को बचाने का वादा लेकर आते हैं। एक यही वर्ग है जो जनतन्त्र में अपनी जगह पाने के लिए जुटा है और वोट करने के लिए निकलता है। 2019 में आम चुनाव के नतीजों के पहले का चुनावी पाठ यही है कि भारत का लोकतन्त्र अभी भी वंचितों के कुछ हासिल कर लेने के सपनों के संघर्ष से ही जूझ रहा है। जिन्हें सबसे कम मिला है, उन्हीं पर अब तक सब कुछ टिका है।

18 मई 2019

नरेन्द्र मोदी की महाविजय ने विश्व के सबसे बड़े लोकतन्त्र की महागाथा लिखी है। मोदी की अगुआई में पचास साल बाद किसी ग़ैर–कांग्रेसी पार्टी ने लगातार दो चुनावों में बहुमत हासिल किया है। इस लोकसभा चुनाव में भारत के जनमानस में वह राष्ट्रीय भाव दिखा जिसे अभी तक ख़ारिज किया जाता रहा। जाति और धार्मिक तुष्टीकरण के कुंद औजारों को ख़ारिज कर पूरे देश ने एक नायक के नेतृत्व पर भरोसा किया। चुनाव नतीजे बता रहे हैं कि जनता पूरी तरह नरेन्द्र मोदी के लिए लड़ी। बेबाक बोल में इस बार 2019 के चुनावी पाठ का सार।

जो जीता वही नरेन्द्र

जो जीता वही नरेन्द्र...। सोशल मीडिया का यह नया नारा है। इसी में है विश्व के सबसे बड़े लोकतन्त्र में मोदी की महाविजय का सार। जीत का जलवा ऐसा कि मुहावरा बन गया और वह भी सदियों पुराने एक मुहावरे को तोड़ कर। ऐसा पहली बार नहीं हुआ कि मोदी के विजय अभियान के दौरान मुहावरों की शक्ल बदल गयी हो या मौक़े के मुहावरे गढ़ लिए गये हों। याद है कि पहली बार ऐसा 2014 में हरियाणा में हुआ जहाँ लोकसभा और विधानसभा के चुनावों में कुछ महीनों का अन्तराल था। मुख्यमन्त्री भूपिन्दर सिंह हुड्डा लगातार दो कार्यकाल के बाद उत्साहित थे कि दोनों चुनाव साथ–साथ ही हो जायें। लेकिन 2014 में मोदी लहर साफ़ दिख रही थी। लिहाजा पार्टी परेशान थी कि कहीं दोनों ही चुनाव हाथ से न निकल जायें। यहीं से एक नारा बुलन्द हुआ, 'नीचे भूपिन्दर, ऊपर नरिन्दर'। हरियाणा के लोगों ने अपनी बोली के हिसाब से उच्चारण भी तय कर दिया। राजस्थान विधानसभा चुनाव में उसकी गूँज कुछ इस तरह सुनाई दी–'मोदी तुझसे बैर नहीं, वसुन्धरा तेरी ख़ैर नहीं'।

इस लोकसभा चुनाव के बाद मोदी एक महानायक की तरह उभरे हैं। उनके धुर विरोधी भी सामने आकर ख़ुद के ग़लत होने को कुबूल रहे हैं। कहीं कोई झंझट नहीं। न ईवीएम का, न ही जबरन क़ब्जे का। बस हर तरफ़ विजय गान। विरोधी एक बात में सच साबित हुए कि मोदी पार्टी से भी बड़े हो गये हैं। राजनीतिक पार्टियों को अपनी ऐसी साख बनाने में बरसों लग जाते हैं। वे इस हद तक जनता जनार्दन का विश्वास नहीं जीत पाते, लेकिन मोदी ने अपने पाँच वर्ष के कार्यकाल में यह कर दिखाया। उन्होंने इन वर्षों में जनता का विश्वास जीता है। लोग देश की राजनीतिक, आर्थिक, सामाजिक या कैसी भी स्थिति के लिए मोदी के

कहे को ही अटल मान रहे हैं। विरोधी अब यह भी नहीं कह पायेंगे कि देश के महज़ 31 फ़ीसद लोग उनके साथ हैं जबकि 69 फ़ीसद उनके ख़िलाफ़। लोगों ने नरेन्द्र मोदी को पहले से कहीं ज़्यादा बड़ा जनादेश दे दिया है। यह जनादेश उस विश्वास को बनाये रखने की अति महत्त्वपूर्ण ज़िम्मेदारी भी लेकर आया है। इस जनादेश को राष्ट्रवाद, जातिवाद या किसी भी तरह के संकीर्ण दायरे में बाँधने की ज़रूरत नहीं। यह जनमानस की सहज आवाज़ है जिसे सुनने–समझने में बौद्धिकों की बुद्धि भी कम पड़ गयी। क्योंकि किसी भी तरह के पूर्वग्रह से जुड़ कर देखने से सफ़ेद रंग भी काला दिखने लगता है। भरी दुपहरी में सूरज बादलों की ओट में चला जाये तो रात लगती है और पानी का छोटा–मोटा बहाव भी बाढ़ सरीखा दिखाई देता है। एक मुद्दत से पाकिस्तान की गीदड़ भभकियाँ झेलते देश के अवाम को मोदी में एक ऐसा नेता दिखा जो पाकिस्तान को मुँहतोड़ जवाब दे सकता था। उन पर छद्म राष्ट्रवाद का आरोप मढ़ने वालों को लोगों ने दरअसल छद्म धर्मनिरपेक्षतावादी समझा और वे अपने तर्क–कुतर्क के दम पर लोगों का विश्वास जीतने में नाकाम रहे। विश्व भर में मोदी ने देश की जो प्रतिष्ठा बहाल की लोग उससे गद्‌गद थे। यह सन्देश दूर तक गया कि मोदी ने अपनी एक मज़बूत अन्तरराष्ट्रीय छवि बनाई जिसमें लोगों को गर्व करने के कई वाजिब कारण दिखे। बेरोज़गारी, कालाधन, भ्रष्टाचार के आरोपों को लोगों ने जैसे सिरे से नकार दिया। माना गया कि यह विपक्ष का प्रलाप भर है। जब प्रधानमन्त्री के ख़िलाफ़ कहने को कुछ नहीं तो फिर अनर्गल आरोप ही सही। गाँव–गाँव, घर–घर पहुँची रसोई गैस और शौचालय ने मोदी की जीत में एक अहम भूमिका निभायी। ऐसा ही कुछ आयुष्मान भारत के साथ भी था। इन योजनाओं का लाभ आम लोगों तक पहुँचाया गया जो उनके मोदी के प्रति विश्वास की एक मज़बूत नींव बनाने में कामयाब हुआ। लोगों ने माना कि प्रधानमन्त्री सचमुच सब का साथ, सब का विकास का नारा फलीभूत करने में लगे हैं। मोदी के लिए यह जनादेश किसी एक जाति, एक समुदाय या एक वर्ग का नहीं वरन समग्र समाज का है। प्रचण्ड बहुमत से चुने जाने के बाद उनकी यह घोषणा मायने रखती है कि देश में अब दो ही जाति रह जायेंगी–एक ग़रीब और दूसरी ग़रीबी मिटाने वाली। यह एक सराहनीय लक्ष्य है जिसे हासिल करना सदी की बड़ी उपलब्धि हो जायेगी। पार्टी

के वरिष्ठों की उपेक्षा का इल्ज़ाम जीत के बाद लालकृष्ण आडवाणी और मुरली मनोहर जोशी की दहलीज़ पर धुलता दिखाई दिया। ज़मीनी स्तर पर यह भाव साफ़ दिखाई दिया कि मोदी देश के लिए जो भी कर रहे हैं वही उचित है, श्रेष्ठ है। यह जीत किसी संगठन, दल या किसी कार्यक्रम प्रबन्धन प्रतिभा की न हो कर व्यक्ति विशेष की है। मोदी देश में एक मुहावरे की तरह हो गये हैं जिन्हें सहज ही कामयाबी के पर्याय के रूप में देखा जा रहा है। मोदी या उनकी नीतियों का विरोध अपनी जगह है, लेकिन लोकतन्त्र के इस उत्सव में उनकी अभूतपूर्व जीत का जश्न अपनी जगह है। लोगों का नुमाइन्दा उनके ही वोट से तय होगा न कि दिल्ली की सम्भ्रान्त कालोनियों में स्थित बँगलों के वातानुकूलित कमरों में बैठ कर। मोदी ने देश के राजनीतिक इतिहास में एक ऐसा पन्ना लिखा है जो शायद ही कभी दुहराया जाये। हो सकता है कि जनता के विश्वास को यों ही कायम रख कर वे स्वयं ही इसे आगे ले जायें। सच यह है कि देश की सभ्यता और संस्कृति के ध्वजवाहक संगठन राष्ट्रीय स्वयंसेवक संघ के यह स्वयंसेवक देश के इतिहास में एक मिथकीय चरित्र की तरह दर्ज हो चुके हैं। उम्मीद है कि लोगों के इस अटल विश्वास को मोदी उतनी ही सहृदयता से सहेज कर रखेंगे जैसा उन्होंने भारतीय जनता पार्टी के मुख्यालय में कहा कि जीत को विनम्रता से स्वीकारना होगा। मोदी की इस जीत के बहुत मायने निकालने की ज़रूरत नहीं और न ही इसे आलोचना के कठोर पहलुओं पर परखने की। न ही इसे किसी सूक्ष्मदर्शी के नीचे रखकर भेदने की ज़रूरत है। इस जीत को उसी परिप्रेक्ष्य में देखना होगा जिसमें देश के लोगों ने इसे उनके सुपुर्द किया है। इस जीत के बाद अपने आसपास के उन लोगों की बात पर भी विश्वास नहीं होता कि वे कांग्रेस को, सपा को, बसपा को, वामपन्थ को या किसी भी दूसरे विपक्षी दल को वोट करके आये। पूरा चुनाव पूरी तरह से एकतरफ़ा रहा है। हरियाणा के मुख्यमन्त्री मनोहर लाल खट्टर जिन्होंने प्रदेश में पहली बार भाजपा की झोली में दस की दस लोकसभा सीटें डाल दीं, ने सही कहा कि श्रेय के असली हक़दार प्रधानमन्त्री हैं, न कि कोई और। वे खुद भी नहीं।

यह भाव सिर्फ़ उनका ही नहीं है। कोई और कहे न कहे, सच यह है कि इस जीत पर मोदी की मोहर है। लोकतन्त्र में कोई व्यक्ति विशेष

क्या सोचता है यह महत्त्वपूर्ण नहीं। महत्त्वपूर्ण यह है कि देश की आम जनता क्या सोचती है। और जनता का फ़ैसला मोदी के पक्ष में है। लोगों ने न सिर्फ़ यह विश्वास किया कि वे पिछले पाँच वर्ष में देश को सही दिशा में ले गये वरन यह भी माना कि वे अगले पाँच वर्ष उसे और आगे ले जायेंगे। चुनौतीपूर्ण लहजे में यह कहना कि अब मोदी को मन्दिर बनवाना होगा, धारा 370 और अनुच्छेद 35–ए हटाना होगा, हास्यास्पद है क्योंकि उन मुद्दों पर मोदी अपना रुख़ साफ़–साफ़ जाहिर कर चुके हैं। ऐसा लगता है कि अब कुछ अरसा आलोचकों को अपनी बुद्धि को विश्राम देने की ज़रूरत है ताकि देश सही दिशा में जा सके।

25 मई 2019

राहुल गाँधी को खुद के अन्दर के विपक्ष को अनसुना नहीं करना चाहिए। यह वक़्त है सड़े हुए ढाँचे में विस्फोट कर खुद के खिलाफ खड़े होने का। राहुल खुद तो पद छोड़ें ही साथ ही उन्हें भी छोड़ने के लिए मजबूर करें जो गाँधी–नेहरू परिवार के नाम पर सिर्फ़ अपना ही परिवार देख रहे थे। आज पूरे हिन्दुस्तान की जमीन राहुल गाँधी की कर्मभूमि है। दरबारी राग से निकलकर जनता के दिलों की आग में झुलसेंगे तो खरा सोना बनकर निकलेंगे। यह वक़्त है जब आप खुद के ख़िलाफ़ जाकर खुद को पायें। कांग्रेस और राहुल के इस करो या मरो वाले समय पर बेबाक बोल।

खुद के ख़िलाफ़

अब तक तो सब कुछ पूर्व अनुमानित लकीर के फकीर जैसा ही होता दिख रहा है। राज्यों में कांग्रेस हारती है, वहाँ के कर्ताधर्ता इस्तीफ़ा देते हैं, जो नामंजूर होता है। 2014 में सोनिया गाँधी और राहुल गाँधी ने इस्तीफ़े की पेशकश की थी जो मंजूर नहीं हुई थी। अब लोकसभा चुनाव में औंधे मुँह गिरने के बाद कर्णधारों की तरफ़ से इस्तीफ़ों की बाढ़ तो आ गयी है, लेकिन अभी तक किसी के कन्धे से तमगा उतारा नहीं गया है।

सोनिया गाँधी पर दरबारी कांग्रेसियों से घिरे रहने के आरोप लगते थे। लेकिन यह आरोप तब सच साबित हुआ जब हार के बाद राहुल गाँधी ने अपनी पीड़ा जताई। कांग्रेस के संविधान के अनुसार अध्यक्ष फ़ैसलों के लिए सर्वोपरि है। इसके बावजूद टिकट बँटवारे में राहुल गाँधी के हाथ बँधे रहे। उन्होंने साफ़–साफ़ कहा कि मैंने मुख्यमन्त्रियों के बेटों को टिकट देने का विरोध किया तो मेरा विरोध शुरू हुआ। हालात ऐसे हैं कि जिन लोगों पर राहुल गाँधी ने साफ़–साफ़ इशारा किया, अभी तक उनका कुछ भी नहीं बिगड़ा है। इसके उलट वे लोग राहुल को इस्तीफ़ा नहीं देने के लिए मना रहे हैं।

राहुल की मुश्किल यह है कि वे उस दाग़ पर सवाल उठा रहे हैं, जो उनके दामन पर भी लगा है। राहुल गाँधी कह रहे हैं कि दिग्गज नेताओं ने अपनी पूरी ऊर्जा अपने वारिसों को जिताने में लगाई और पार्टी की लुटिया डुबो दी। तो क्या आज राहुल के पास यह नैतिक बल नहीं है कि वे उन मुख्यमन्त्रियों को निकाल बाहर करें जो पूरा चुनाव सिर्फ़ अपने वारिसों के लिए लड़ते रहे।

राहुल गाँधी कह रहे हैं कि एक महीने के अन्दर उनका विकल्प चुन लिया जाये। राहुल को अपने इस रुख़ पर पूरी तरह कायम रहना चाहिए।

इसके साथ ही एक महीने में उन्हें यह व्यवस्था करनी चाहिए कि चमचों को हाशिए पर कर दें। आम कांग्रेसी कार्यकर्ताओं को अधिकार दिया जाये कि नेहरू–गाँधी परिवार से इतर अपना अध्यक्ष चुनें। राहुल अगर कांग्रेस को इतिहास की किताब में ख़त्म अध्याय होने से बचाना चाहते हैं तो उन्हें ख़ुद वारिसी कुर्सी को खाली कर ज़मीन पर आना होगा। राहुल वंश–बेल की ही उपज हैं इसलिए उन्हें दूसरों को जवाब देने में समस्या आ रही है। ढर्रे को बदलने के लिए उन्हें ख़ुद बदलना होगा। राहुल गाँधी के लिए इससे बेहतर समय कुछ और नहीं हो सकता है। आपको जिस जनता की रहनुमाई करनी है उसके बीच जाइए। वह जनता ही आपको सिखायेगी–पढ़ायेगी और अपना नेता बनायेगी। यह दरबार से दूर होकर जनता का राग समझने का वक़्त है।

महज़ यह कहकर कि वंशवाद सारे दलों में है, राहुल को खुद को माफ़ नहीं करना चाहिए। कांग्रेस पार्टी का इतिहास आधुनिक भारत के इतिहास के साथ शुरू होता है। इस पार्टी की नींव में आज़ाद भारत की बुनियाद भी है। कांग्रेस का इतिहास जब समृद्ध और अलग है तो फिर उसके अगुआ को आज भेड़चाल का हिस्सा क्यों बनना चाहिए कि यह कहाँ नहीं है।

प्रजातन्त्र में प्रतीकों का अपना महत्त्व है। राजीव गाँधी की हत्या के बाद पूरी कांग्रेस सोनिया गाँधी पर निर्भर हो गयी थी। वे ख़ुद सक्रिय राजनीति में आने की इच्छुक नहीं थीं लेकिन उन्होंने ऐतिहासिक ज़िम्मेदारी निभाते हुए एक गृहिणी का चोला उतार सार्वजनिक नेता का बाना पहना। कांग्रेस को फिर से पाँवों पर खड़ा कर उस हाल तक लायीं कि वे प्रधानमन्त्री हो सकती थीं। विदेशी मूल के मसले पर हंगामा होते ही उन्होंने अपने क़दम पीछे कर लिए। विदेशी मूल का मुद्दा एक भावनात्मक मुद्दा था जिसकी गहराई को सोनिया गाँधी समझ रही थीं। उस वक़्त बहुत से चाटुकारों ने सोनिया गाँधी को कहा होगा कि यह मौक़ा गँवाना नहीं चाहिए, आपको प्रधानमन्त्री बनना चाहिए। पर, सोनिया ने दरबारियों की बात न मान जनमानस का ख़याल रखते हुए इतिहास में अपना नाम दर्ज कर लिया।

सोनिया ने जनता के बीच रहने के लिए ही जनादेश को एक नया अर्थ दिया था। लेकिन 2019 में उनकी बेटी प्रियंका गाँधी वाड्रा अपनी माँ की इस विरासत को नहीं समझ पायी थीं। जब रॉबर्ट वाड्रा पर भ्रष्टाचार के आरोपों

में प्रवर्तन निदेशालय का शिकंजा कसता गया और उनकी गिरफ़्तारी की भी आशंका जताई जाने लगी तभी राहुल गाँधी अपनी बहन को पूर्वी उत्तर प्रदेश में कांग्रेस महासचिव बना देते हैं। ऐन चुनावों के समय प्रियंका गाँधी को आधिकारिक मोहर के साथ उत्तर प्रदेश में उतार दिया गया।

2014 में भ्रष्टाचार विरोधी आन्दोलन की आँधी में ही कांग्रेस के पाँव उखड़े थे। इसके बावजूद 2019 में प्रियंका गाँधी वाड्रा को तुरुप के पत्ते की तरह उतारा जाता है। रॉबर्ट वाड्रा पर अभी आरोप साबित नहीं हुए हैं, लेकिन वे गम्भीर हैं। यह वह समय था जब नामदार और कामदार की बहस छिड़ चुकी थी। कांग्रेस अभी तक इसी गुमां में थी कि इन्दिरा गाँधी से मिलता–जुलता चेहरा ही जनता को प्रभावित करने के लिए काफ़ी होगा। लेकिन पिछले 70 सालों में राजनीति का पाठ बिल्कुल बदल चुका है और कांग्रेस ने प्रियंका को उतार उसी वंशवाद और भ्रष्टाचार के आरोप को आगे बढ़ाया। प्रियंका गाँधी वाड्रा की बेपरवाही का आलम यह था कि कांग्रेस दफ़्तर में अपना आधिकारिक पद सँभालने के पहले वो मीडिया और गाजेबाजे के साथ अपने पति रॉबर्ट वाड्रा को प्रवर्तन निदेशालय के दफ़्तर में पूछताछ के लिए छोड़ने गयीं। पति का हाथ थाम तस्वीरें खिंचवाईं। छवि–बोध की लड़ाई में वे भ्रष्टाचार के आरोपी की पत्नी भर थीं।

नब्बे के दशक के बाद से क्षेत्रीय दलों के उभारों ने 'राष्ट्रीय नेता' के वजूद को ख़त्म कर दिया था। सीटों का आँकड़ा ही किसी को सिकन्दर बना रहा था। लेकिन 2019 ने नागरिकशास्त्र और राजनीतिशास्त्र के पुराने पाठ्यक्रम को बदल दिया है। टिक–टॉक जैसे ऐप से ख़ुद ही स्टार बनी जनता को अब राजा–रानी की कहानी उनके वारिसों की ज़ुबानी सुनने में कोई दिलचस्पी नहीं रही। आप आज के समय में क्या, क्यों और कैसे हैं उसे इससे मतलब है। यह रियलिटी शो का ज़माना है जिसमें आपका अविश्वसनीय संघर्ष ही आपके लिए तालियाँ बजवाता है।

राहुल गाँधी वंशनाम ढोते हुए वंशों के मठाधीशों के चक्रव्यूह में फँस चुके थे और जनता ने इस बार इन मठों को ढहा दिया है। अब राहुल को एक महीने का भी इन्तज़ार नहीं कर तुरन्त उसी जनता के बीच जाना चाहिए जिसने उन्हें नकारा है। आप उन किसानों के पास जाइए जिसने मध्य प्रदेश, राजस्थान और छत्तीसगढ़ में दिल में बिठाया था। उन

नौजवानों के पास जाइए जिन्हें आपमें उम्मीद दिखी थी। उन बच्चों की चिताओं के पास जाकर खड़े हो जाइए जो बुनियादी सुविधाओं के अभाव में ज़िन्दा जल रहे हैं। उन परिवारों के पास जाइए जिनके बच्चे व्यवस्था से निराश होकर ज़िन्दगी की आस तोड़ रहे हैं। राजनीति के मैदान में विपक्ष से ज़्यादा बड़ी ज़मीन किसी के पास नहीं होती। अभी तो पूरा हिन्दुस्तान आपकी कर्मभूमि हो सकता है।

राहुल को खुद के अन्दर के विपक्ष को हारने नहीं देना चाहिए। यह समय है खुद के ख़िलाफ़ खड़े होने का। राहुल के सामने अपनी माँ की मिसाल है। आगे जीत की उम्मीद रखनी है तो इस हार से सबक लेकर मठाधीशों को बेदखल करें। इन मठों का विध्वंस किये बिना राहुल गाँधी के पास पुनर्जन्म का कोई रास्ता नहीं है।

1 जून 2019

शून्य से दस पर पहुँचने के बाद, फ़ायदे में रहने वाली मायावती ने अखिलेश यादव से गठबन्धन की गाँठ तोड़ते हुए उन्हें नसीहतों की गठरी पकड़ा दी। कभी ईवीएम और कभी यादव वोट स्थानान्तरित नहीं करवाने के लिए सपा नेता पर ठीकरा फोड़ रही मायावती नयी तरह की राजनीति में जनता के मिजाज़ को नहीं समझ पा रही हैं। उम्मीदों की चिता की राख ठण्डी होने से पहले उन्होंने अपनी महत्त्वाकांक्षा की जो मीनार खड़ी की है उसे देखकर ही जनता ने इन नेताओं पर भरोसा करना छोड़ दिया है। आज अपनी सत्ता–लोलुपता को सामने रख कल ईवीएम पर दोष मढ़ना है। क्या ऐसे नेताओं के कारण ही जनता ने लोकतन्त्र का रसायन बदल दिया है, यही समझने की कोशिश करता बेबाक बोल।

गुबार देखते रहे

उम्मीदों का अखिलेश हो जाना...

यह समाज और राजनीति पर नये मुहावरे गढ़ने का समय है। राजनीति के मंच से जब निजी सम्बन्धों वाली संवाद अदायगी हो, बुआ–भतीजे का रिश्ता हो, बहू का चरण स्पर्श हो तो फिर स्वप्न झरे फूल से, मीत चुभे शूल से जैसे हालात में पहुँचे नायक के लिए और क्या कहा जा सकता है। उत्तर प्रदेश में सपा–बसपा गठबन्धन तोड़ने के बाद मायावती का फिर मिलेंगे अन्दाज़ में अलविदा कहते ही अखिलेश की जो हालत हुई है, शायद उसे ही शब्दकोश में विडम्बना का नाम दिया गया है।

ऊपरी तौर पर देखें तो लोकसभा चुनावों के नतीजों के बाद राहुल गाँधी हार का सबसे बड़ा चेहरा लग रहे हैं। लेकिन दूरबीन को उत्तर प्रदेश की ओर ले जाने पर सामने अखिलेश यादव की हालत देखकर शायद राहुल गाँधी गुनगुना दें कि दुनिया में कितना ग़म है, मेरा ग़म कितना ग़म है।

सास–बहू और बेटा की कहानी वाले इस राजनीतिक सोप ओपेरा को प्रधानमन्त्री ने महामिलावट का नाम देकर कहा था कि यह नहीं चलेगा। इसके जवाब में सपा और बसपा के दोनों नेताओं ने कहा था कि यह सिर्फ़ राजनीतिक गठबन्धन ही नहीं है, यह आगे भी चलेगा। लेकिन प्रधानमन्त्री की कही बात सच साबित हुई और लोकसभा नतीजों में उम्मीदों की चिता की राख ठण्डी होने के पहले ही मायावती ने ऐलान कर दिया कि बसपा अकेले लड़ेगी उपचुनाव। उन्होंने कहा, 'बसपा उपचुनाव अकेले लड़ेगी, गठबन्धन पर ब्रेक नहीं लगा है, हमारे रिश्ते कभी ख़त्म नहीं होंगे, अगर आगे अखिलेश पार्टी में सुधार करते हैं और बदलाव करते हैं तो हम आगे साथ रह सकते हैं।' मायावती ने कहा कि जब सपा को

ही यादवों का वोट नहीं मिला तो बसपा को उनका वोट कैसे मिला होगा।

पिछले पाँच सालों में राजनीति की जो दशा और दिशा तय हुई है उसने सबको उलझन में डाल दिया है। ख़ासकर उत्तर प्रदेश के चुनावी नतीजों ने तो राजनीतिक पण्डितों, टिप्पणीकारों और विश्लेषकों को दूसरी बार फेल क़रार दिया है। उत्तर प्रदेश के विधानसभा चुनावों के नतीजों ने भाजपा के जयकारे के साथ हर जगह सन्नाटा पसरा दिया था। नोटबन्दी जैसे कड़े फ़ैसले के बाद भाजपा को उत्तर प्रदेश में हारी हुई पार्टी माना जा रहा था। लेकिन मोदी के नाम पर बम्पर वोट पड़ने और योगी के मुख्यमन्त्री बनते ही राजनीतिक टिप्पणीकार अवसाद में चले गये थे। लोकसभा चुनाव में गठबन्धन की संजीवनी पा मूर्च्छा से बाहर आये और फिर फलाँ-फलाँ जाति के वोट गिन सपा-बसपा की सरकार बनवाने लगे। अब नतीजों के बाद दिल बहलाने के लिए बस 'जीत का सन्नाटा' बचा है।

दुखद यह रहा कि उत्तर प्रदेश के विधानसभा चुनाव में फेल होने के बाद भी न तो नेता और न बुद्धिजीवियों ने अपने ज्ञान चक्षु खोलने के लिए मेहनत की। बस जाति के समीकरण के रट्टे लगाये। मण्डल बनाम कमण्डल के ख़ारिज पाठ्यक्रम को मुख्यधारा में लाने की कोशिश करते रहे। हाँ, इस बार ख़ामोश मतदाता और अंडर करंट का जुमला ज़रूर उछला। लेकिन मतदाता ख़ामोशी से अंडर करंट का 440 वोल्ट का झटका देंगे ऐसा किसी ने भी नहीं सोचा था।

इन सबके बाद भी मायावती के विश्लेषण में वही जाति पुराण और हारे को हरिनाम के लिए ईवीएम तो है ही। अखिलेश यादव से शिकायत कि यादवों का वोट नहीं दिला पाये। मायावती इस बार दस सीटों से लाभ में हैं इसलिए उन्हें अभी भी जाति में ही उम्मीद दिख रही है। लेकिन सब कुछ लुटाये बैठे अफ़सोस कर रहे अखिलेश को बदली राजनीति का ककहरा समझ में आ रहा होगा।

उत्तर प्रदेश में भाजपा की प्रचण्ड बहुमत की सरकार बनने के बाद विपक्ष मैदान से बाहर था। कुछ प्रेस वार्ता और प्रेस विज्ञप्तियों के अलावा बहुजन और समाजवादी नेता की ज़मीन से जुड़ने की कोई कवायद नहीं दिखी। मायावती का राजनीतिक संघर्ष एक इतिहास है और महज़ जाति की जोड़तोड़ से प्रधानमन्त्री बनने की महत्त्वाकांक्षा उनका वर्तमान। पिछले

लोकसभा चुनाव में सपा परिवार के मुखिया और उनके सदस्यों को इतनी सीटें मिली थीं कि वे खाने की मेज़ पर संसदीय दल की बैठक कर सकें। लेकिन उसके बाद जनता ने चाचा–भतीजा की लड़ाई देखी, पिता का बेटे को दिया धोबी पछाड़ देखा। सत्ता के लिए सौतेली माँ, भाइयों का झगड़ा देखा और अगर कुछ नहीं देखा तो वह थी जनता के बीच जाकर ज़मीनी लड़ाई।

लखनऊ में मायावती और अखिलेश यादव की साझा प्रेस वार्ता के पीछे दीवार पर लोहिया और आम्बेडकर की तस्वीर और मायावती के पाँव छूते हुए तेजस्वी यादव के पीछे आम्बेडकर की तस्वीर का विश्लेषण कर सीटों की गिनती करने वाले विश्लेषक यह बताना भूल गये थे कि मुलायम सिंह यादव या लालू यादव के पुत्र होने के अलावा इन्होंने लोहिया और आम्बेडकर के विचारों को आगे ले जाने के लिए किया क्या है। अब लोहिया और आम्बेडकर की सिर्फ़ तस्वीरों से वोट आपके खाते में नहीं आने वाला है। मुलायम सिंह यादव और लालू यादव के संघर्ष का परिणाम वोटों के रूप में मिला था। लेकिन उनके संघर्षों का वोट उनके बेटों के खातों में हस्तान्तरित करने से जनता साफ़ इनकार कर चुकी है।

उत्तर प्रदेश विधानसभा चुनावों में सपा और कांग्रेस 'यूपी को यह साथ पसन्द है' नारे के साथ आयी, जिसे जनता ने ख़ासा नापसन्द किया था। गेस्ट हाउस कांड को भुला जब दो अलग–अलग ज़मीनों वाले लोग आ मिले तो मतदाताओं को इसमें मिलावट दिखी। बड़े समीक्षक तो ताड़ नहीं सके लेकिन आम जनता ने इस सुविधा की शादी में बाराती बनना पसन्द नहीं किया।

यहाँ पर सवाल है कि क्या ऐसे चुनावी गठबन्धन का समय उठ गया है? देश के लोकतन्त्र ने एक रैखिक दिशा में चलना तय किया है। जनता राजनीतिक दलों से उम्मीद कर रही है कि जो भी करें ठोस करें। आज के दौर में भाजपा की पहचान यह है कि दो से लेकर तीन सौ पार तक के सफ़र में अपनी पहचान के साथ समझौता नहीं किया और फ़िलहाल जनता ने उसकी स्थिरता के साथ स्थिर रहना क़बूल किया है।

कई खाँचों में बँटे देश में भाजपा के लिए राष्ट्रवाद पर टिकना आसान न था, पर उसने यह ख़तरा उठाया और प्रचण्ड जीत का लाभ लिया। भाजपा की यह राष्ट्रवादी जीत ही सबसे बड़ा सन्देश है। दीवारों पर सिर्फ़ लोहिया की तस्वीर लगाने से कुछ नहीं होगा, अगर आप

समाजवादी हैं तो यह सिर्फ़ कहने से काम नहीं चलेगा आपको दिखना भी होगा। चुनावों के समय भले आप साइकिल निकाल लें पर जनता की आँखों में जगुआर और अन्य शाही कारों के काफ़िले की तस्वीरें क़ैद हैं। जनता किसी उद्योगपति के संघर्ष पर विश्वास कर लेती है कि कल तक उसका पिता केले बेच रहा था तो आज बेटा शेयर बाज़ार का बेताज बादशाह है। पर नेताओं ने ख़ुद को इतना अविश्वसनीय बना डाला है कि वे जलते अंगारों पर नंगे पाँवों से चलकर भी बोलें कि विदेशी कारों का काफिला और ढेर सारे मकान या प्लॉट उनकी मेहनत की कमाई के हैं तो भी जनता विश्वास नहीं करेगी। महँगी कारें, सैफई में नाचते–गाते फ़िल्मी सितारे और थोक के भाव में यश भारती पुरस्कार आपको कोई यश नहीं दिला पाये।

साइकिल सेहत के लिए अच्छी है, इसे सिर्फ़ चुनावों के समय नहीं निकालें। अब पिता की विरासत छोड़ अपना 'जन–धन' खाता खोलें। शून्य संचय के साथ शुरुआत ही आपको समाजवाद समझा पायेगा। सोशल इंजीनियरिंग में फेल हो चुके हैं इसलिए समाजशास्त्र का नया पाठ्यक्रम पढ़िए।

8 जून 2019

टी–शर्ट पर देशभक्ति से लेकर सोशल मीडिया के निजी परिचय में हम जितने नाटकीय तरीक़े से सक्रिय दिखने लगे हैं, अपनी अभिव्यक्ति को लेकर भी उतने ही आक्रामक हो रहे हैं। पुलिस और पत्रकार जैसी संस्थाएँ इसी आक्रामकता में एक–दूसरे से टकरा रही हैं। एक अख़बार के कार्टून में कुत्ते के गले में देश के राष्ट्रीय प्रतीक का इस्तेमाल करना या किसी राज्य के मुख्यमन्त्री के ख़िलाफ़ आपत्तिजनक ट्वीट, अमेरिका से लेकर दिल्ली तक अति सक्रिय संस्थाओं के सामने अभिव्यक्ति की आज़ादी नये मायने तलाश रही है। एक–दूसरे के ख़िलाफ़ खड़ी टकराहटों के इस समय में नैतिकता और सहिष्णुता जैसी बुनियादी बातों की बहाली की बात करता बेबाक बोल।

मुश्किल दौर

इज़रायल के प्रधानमन्त्री बेंजामिन नेतन्याहू एक मार्गदर्शक कुत्ते के रूप में नेत्रहीन डोनाल्ड ट्रंप को रास्ता दिखा रहे हैं। यह वह कार्टून था जिसके 'न्यूयार्क टाइम्स' के वैश्विक संस्करण में छपने के बाद हंगामा मच गया। पुर्तगाली कार्टूनिस्ट अंतोनियो मोरेरा अंतूनेज के बनाये इस कार्टून में सबसे ज़्यादा आपत्ति इस बात पर जताई गयी कि नेतन्याहू के रूपक के रूप में जिस कुत्ते को चित्रित किया गया उसके गले के पट्टे पर 'ब्लू स्टार ऑफ़ डेविड' लटक रहा है जो इज़रायली झण्डे को दर्शाता है। वहीं ट्रंप ने परम्परागत यहूदी धार्मिक टोपी पहन रखी है। इस कार्टून के ज़रिये यहूदी अस्मिता को अपमानित करने के लिए 'न्यूयार्क टाइम्स' को कठघरे में खड़ा किया गया।

इस राजनीतिक कार्टून की चौतरफ़ा निन्दा के बाद 'न्यूयार्क टाइम्स' ने ऐलान किया कि वह अपने वैश्विक संस्करण में कोई राजनीतिक कार्टून नहीं प्रकाशित करेगा। 'न्यूयार्क टाइम्स' के इस फ़ैसले को आलोचक अपने–अपने नज़रिए से देख रहे हैं। कुछ लोग इसे ग़ैरज़रूरी आडम्बर भरा फ़ैसला बता रहे तो कुछ विद्वानों का कहना है कि पहचान की राजनीति के इस युग में सच की अपनी–अपनी परतें हैं। वजह चाहे जो भी हो लेकिन इस फ़ैसले को अन्तरराष्ट्रीय स्तर पर अभिव्यक्ति की आज़ादी की हत्या के रूप में देखा जा रहा है और अमेरिकी मीडिया को 'शार्ली एब्दो' के संघर्ष की भी याद दिलाई जा रही है, जब उन्होंने क़त्लेआम के बाद भी अपने रुख़ को नहीं बदला था और पूरी दुनिया में 'हम भी शार्ली एब्दो' का नारा गूँज गया था।

'शार्ली एब्दो' से लेकर 'न्यूयार्क टाइम्स' तक का यह सफ़र बता रहा

है कि अभिव्यक्ति के क्षेत्र में हम वैश्विक स्तर पर अतिवाद से टकरा रहे हैं। भारत में एक पत्रकार के ट्वीट पर उसे गिरफ़्तार किया जाना और सुप्रीम कोर्ट का मामले में यह कहना कि अभिव्यक्ति की आज़ादी के साथ किसी तरह का समझौता नहीं किया जा सकता है एक पूरी विडम्बना को हमारे सामने रखता है। दिल्ली में रह रहा पत्रकार उत्तर प्रदेश के मुख्यमन्त्री पर आपत्तिजनक टिप्पणी करता है। उत्तर प्रदेश की पुलिस मामले का स्वतः संज्ञान लेती है और बिना दिल्ली पुलिस के दखल के पत्रकार को गिरफ़्तार कर लखनऊ ले जाती है और जमानत पर रिहाई सुप्रीम कोर्ट के ज़रिये होती है।

प्रशान्त कनौजिया जब जमानत पर रिहा होते हैं तभी ख़बर आती है कि रेलवे स्टेशन पर ख़बर करने गये पत्रकार को पुलिस ने बेरहमी से पीटा। इसके पहले भी हाल में उत्तर प्रदेश से लेकर बंगाल, कर्नाटक और केरल तक कई ऐसे मामले आये हैं जिनमें पत्रकारों को किसी ख़ास राजनेता की मानहानि के आरोप में उठा लिया गया या प्रताड़ित किया किया गया। इन सबमें एक चीज़ जो चिन्तनीय है, वह है सत्ता के पक्ष को लेकर पुलिस या अन्य संस्थाओं की अति सक्रियता।

आज देश के हर कोने में और अलग–अलग विचारधारा की सरकारों में पुलिस और पत्रकार आमने–सामने हैं। दोनों अति सक्रिय हैं, दोनों पर अपनी हदों से बाहर जाने के आरोप हैं। पुलिस सक्रियता बनाम अभिव्यक्ति की सक्रियता को किस तरह से देखा जाये। पुलिस और पत्रकारिता नाम की इन दो संस्थाओं के बीच अदालत और सरकार भी है। सबसे अहम यह है कि हमारा लोकतन्त्र इन्हीं संस्थाओं के खम्भों पर चलता है और इन्हीं के बीच भयानक टकराव है।

इन सबके बीच सोशल मीडिया एक आभासी संस्था के रूप में आकर खड़ा हो गया है। इस नये मंच को सबसे ज़्यादा लोकतान्त्रिक मानकर इसे बहुत उम्मीदों से देखा जा रहा था। लेकिन इस पर ही सबसे ज़्यादा असामाजिक, अलोकतान्त्रिक और ग़ैरजिम्मेदार होने के आरोप लगे। बिना तथ्य जाँचे सबसे पहले पोस्ट करने की हड़बड़ी, तंज़ और कमर से नीचे वार करने वाली भाषा का इस्तेमाल करने वाले सूरमाओं की वजह से इसका नकारात्मक पक्ष ज़्यादा हावी होने लगा। पत्रकार, पुलिस

और सरकार के बीच में सोशल मीडिया की एक पोस्ट पर जंग लड़ना 'लोकतन्त्र बचाने' के लिए भारी पड़ने लगा है।

पुलिस, पत्रकार और सरकार के बीच ऐसे सोशल मीडिया की सक्रियता को कैसे सन्तुलित करें। सबसे बड़ी समस्या यह है कि इसका कोई लिखित संविधान और ज़िम्मेदारी नहीं है। ऐसे में हमें यह समझना होगा कि हर चीज़ संविधान में नहीं खोजी जा सकती। नैतिकता, ज़िम्मेदारी और सहिष्णुता वे सांस्कृतिक मूल्य हैं जिनके लिए संविधान की किताब खोलने की ज़रूरत नहीं है। एक–दूसरे पर आधारित संस्थाओं को समझना होगा कि बिना नैतिकता और ज़िम्मेदारी के न तो लोकतन्त्र ज़िन्दा रह सकता है और न ही संविधान सुरक्षित रह सकता है।

सवाल यह भी है कि सोशल मीडिया की अति सक्रियता के इस समय में नैतिकता और सहिष्णुता को कैसे देखें? अगर आप ख़ास राजनीतिक, सांस्कृतिक और सामाजिक पूर्वग्रहों के कारण किसी भी तथ्य को बिना जाँचे, उस पर मन्थन किये बिना सोशल मीडिया पर डाल देते हैं, तो मान लीजिए कि यह अनैतिक और असहिष्णु है। वह इसलिए कि ऐसी किसी पोस्ट पर अति सक्रियता हो सकती है और उसके नतीजे के रूप में पुलिस और अन्य संस्थाएँ आमने–सामने होती हैं। क़ानून के दायरे में न आने के बावजूद पुलिस अपनी सक्रियता दिखाती है, पत्रकार और नागरिक समाज संगठनों की ऊर्जा ख़र्च होती है, सरकार असहज होती है। और, इतना हंगामा इसलिए कि कुछ ऐसा लिखा गया जिस पर कार्रवाई करने के लिए कहीं कुछ स्पष्ट नहीं लिखा गया है। लिखित बनाम अलिखित की जंग में ख़ास तरह की पक्षधरता को लेकर हम कट्टर होते जा रहे हैं।

प्रशान्त कनौजिया का मामला हमारी संस्थाओं की अम्लीय जाँच की तरह है। यह हर संस्था की दरारें दिखा रही हैं। ख़ास राजनीतिक पक्षधरता रखने के लिए सही समझ और संवेदनशीलता भी होनी चाहिए जिसका पत्रकारों के बीच भी घोर अभाव है। मीम, फोटोशॉप की भरमार सही–ग़लत का भेद ख़त्म कर चुके हैं। पुलिस को भी समझ होनी चाहिए कि मानहानि का मामला उसके स्वतः संज्ञान की चीज़ नहीं है, यह व्यक्ति विशेष पर निर्भर करता है कि उसकी मान की कितनी हानि हुई है और

इसके लिए वह क्या क़दम उठाये। पुलिस को ऐसे मामलों पर अपनी ऊर्जा ख़र्च करने के बजाय अलीगढ़ जैसे मामलों पर अपनी ज़िम्मेदारी दिखानी चाहिए। बच्ची के पिता जब उसकी गुमशुदगी की रिपोर्ट लिखाने जाते हैं तो पुलिस तब तक सोयी पड़ी रहती है जब तक कि उसकी सड़ी हुई लाश पूरे समाज को जलाने न लगे। अबोध बच्ची की नृशंस हत्या पर भी हम साथ मिलकर रोने और लड़ने के बजाय खाँचों में बँट कर इन्सानियत को शर्मसार करने लगते हैं।

पक्ष हो या विपक्ष, पुलिस, पत्रकार या नागरिक समाज। अगर सब अपने पक्षों को लेकर इतने आक्रामक हो जायेंगे तो लोकतन्त्र बचेगा कैसे। जो सत्ता में बैठे हैं वो भी इतनी टकराहटों को कैसे सँभाल पायेंगे। अब वह वक़्त आ गया है जब सारी संस्थाएँ मिल कर सोचें कि पूरे समाज में यह आक्रामकता क्यों बढ़ रही है। सब एक–दूसरे के ख़िलाफ़ क्यों खड़े हो रहे हैं। हिन्दुस्तान जैसे सामूहिकता में जीने वाले देश में सब लोग अकेला क्यों महसूस कर रहे हैं और इसका समाधान क्या है।

देश में एक–दूसरे से टकराती संस्थाओं का समाधान उसी जनता के सामने है जिसने ताज़ा चुनावों में एक राष्ट्रीय नेता और एक राष्ट्रीय पार्टी को चुना। यह वही जनता है जो नोटबन्दी जैसे कड़े फ़ैसलों के वक़्त राष्ट्रीय चेतना के साथ सरकार की ढाल बनकर रही। आज सत्ता की ज़िम्मेदारी है कि वह संस्थाओं से लेकर नागरिकों को सामूहिकता में लाये, इन्हें एक–दूसरे के ख़िलाफ़ खड़े होने से बचाये। देश की जनता साथ चलना जानती है, बस नैतिकता और ज़िम्मेदारी जैसी बुनियादी बातों की बहाली हो जाये।

15 जून 2019

रूप बदलकर इतिहास खुद को दोहरा लेता है। मुजफ़्फ़रपुर में 130 बच्चों की मौत के बाद मीडिया के नये सैरसपाटे की जगह को देखकर गिद्ध और बच्ची की तस्वीर लेने वाले छाया पत्रकार केविन कार्टर की दुखद कहानी लोगों को फिर से याद आ गयी। सूडान की तस्वीर 21वीं सदी के मुजफ़्फ़रपुर में दोहराई गयी है। 130 बच्चों की मौत वाली जगह पर मुख्यमन्त्री को पहुँचने में 17 दिन लगते हैं तो विपक्ष के पैरोकारों का कुतर्क मरी हुई जनता को ही और मार रहा कि उन्हें वोट क्यों दिया था। जिस बुख़ार का ठीकरा हिन्दुस्तान के कई इलाकों में दो सौ सालों से खायी जा रही लीची पर फोड़ा जा रहा उसकी असली वजह फणीश्वरनाथ 'रेणु' के अमर साहित्य 'मैला आँचल' में दर्ज है–ग़रीबी और ज़हालत। मुजफ़्फ़रपुर में पूर्णिया के मेरीगंज से लेकर सूडान के गिद्ध तक की वापसी पर बेबाक बोल।

गिद्ध गाथा

जब पारा 40 के पार हो तो बच्चों के पेट में अनाज हो। बच्चों के शरीर में इतनी ऊर्जा हो कि सौ से ज़्यादा बुख़ार आ जाये तो वो उसे झेल लें। घर में थर्मामीटर हो, परिजनों को बुख़ार मापना आता हो और बीमार पड़ने पर उन्हें पारासिटामोल की सही खुराक मिलती रहे। इक्कीसवीं सदी के भारत में हम अपने बच्चों को इतनी बुनियादी चीज़ें भी मुहैया न करवा पाये, तो क्या पक्ष और क्या विपक्ष। बच्चा इसलिए मर गया क्योंकि उसका कुपोषित शरीर बुख़ार को नहीं झेल पा रहा था।

बजरिए मुजफ़्फ़रपुर बिहार सरकार की पोस्टमार्टम रिपोर्ट बता रही है कि कमज़ोर तबके के बच्चे आज भी भूखे सो रहे हैं। अस्पतालों में इतने संसाधन नहीं हैं कि वे बुख़ार पर क़ाबू पा सकें। एक बुख़ार की वजह से 130 बच्चों की मौत हो जाती है और बिहार के मुख्यमन्त्री को पटना से मुजफ़्फ़रपुर की 72 किलोमीटर की दूरी तय करने में 17 दिन लग जाते हैं। वैसे स्वयंभू 'सुशासन बाबू' को इससे पहले भी संवेदनशील मसलों पर सक्रिय होने में ज़रूरत से ज़्यादा समय लगता रहा है। मुजफ़्फ़रपुर की बच्चियों के यौन शोषण के मामले में इतनी देर से बोले थे कि उस बोलने का मतलब नहीं रह गया था, वह भी तब जबकि बच्चियों से बलात्कार और हत्या के आरोपी सत्ता के साथ चलने वाले चेहरे थे।

मुजफ़्फ़रपुर के एसकेएमसीएच और केजरीवाल अस्पताल के बाहर हाहाकार मचा था। माँ–बाप, दादा–दादी की गोद में सफ़ेद कपड़ों में लिपटे बच्चों के शवों की तस्वीरें विचलित कर रही थीं। पटना से मुजफ़्फ़रपुर के बीच की धरती और चाँद जैसी दूरी तय कर पहुँचने वाले मुख्यमन्त्री को जनता के ग़ुस्से का सामना करना पड़ा। नीतीश कुमार वापस जाओ के नारों के बीच वही बहुत देर से बोली गयी फुसफुसाती

आवाज़ कि इस बार जागरूकता फैलाने में कमी रह गयी थी। बच्चों की मौत के मातम के बीच केन्द्रीय मन्त्री बड़े आराम से कह बैठते हैं कि चुनावी व्यस्तताओं की वजह से अधिकारी इनसेफलाइटिस को लेकर जागरूकता का प्रसार नहीं कर पाये।

केन्द्रीय मन्त्री और मुख्यमन्त्री उस बीमारी की जागरूकता के बारे में बात कर रहे हैं जिस पर 2015 में क़ाबू पा लिया गया था। 'स्टैंडर्ड ऑपरेटिंग प्रोसीजर' ऐसा शब्द है जो मुजफ़्फ़रपुर की घटना के बाद बहुत बार बोला गया है। दिमाग़ी बुख़ार के ख़िलाफ़ कुछ बुनियादी मानक तय किये गये थे, जिसे अपनाया गया था और बच्चों के सिर से बुख़ार की वजह से मौत का ख़तरा टला था। एहतियाती उपायों में सबसे ज़रूरी है बच्चे को समय से अस्पताल पहुँचाना और ग्लूकोज़ चढ़ाना। ज़्यादातर लोगों ने शिकायत की कि निजी अस्पतालों से बड़े सरकारी अस्पताल तक जाने में एंबुलेंस का ख़र्च ही इतना था जिसे ग़रीब परिवार के लोग वहन नहीं कर सकते।

शासन–प्रशासन इस बीमारी का ठीकरा उस लीची पर फोड़ रहा है जो मुजफ़्फ़रपुर के किसानों की रीढ़ की हड्डी है। बिना किसी पर्याप्त शोध और सबूत के ज़िम्मेदार सरकारी अमलों द्वारा लीची को कठघरे में ला एक और नयी समस्या पैदा कर दी गयी है। दिल्ली, मुम्बई तक पहुँची मुजफ़्फ़रपुर की लीची को शक की निगाह से देखा जा रहा है। जिस मुजफ़्फ़रपुर की लीची का साल भर इन्तज़ार रहता था, लोग उसे ख़रीदने से डर रहे हैं। फ़िलहाल इस बीमारी की जद में एक साल के बच्चे भी आये हैं जो लीची नहीं खाते। डॉक्टरों का कहना है कि लीची का बुरा असर तब होता है जब बच्चा खाली पेट सिर्फ़ लीची खा ले। लीची इसलिए ख़तरनाक हो जाती है क्योंकि बच्चे के पेट में पर्याप्त पोषण देनेवाला अनाज नहीं है।

सौ से ज़्यादा बच्चों की मौत के बाद कोई मन्त्री कह रहा कि हम बारिश होने का इन्तज़ार कर रहे तो कोई कह रहा ग़रीब के बच्चे थे, अभागे थे। लेकिन देश के भविष्य की इन मौतों का ज़िम्मेदार कौन है इस पर बात करने के लिए कोई तैयार नहीं है। बच्चों की मौत के बाद हाहाकार मचने पर केन्द्रीय मन्त्री अपनी कही गयी बात को दुहराते हैं कि 100 बिस्तरों का अस्पताल बनवा देंगे। मुख्यमन्त्री उससे ज़्यादा आधुनिक

अस्पताल की बात कहकर चले जाते हैं। लेकिन इनसे सवाल यह है कि आईसीयू तो छोड़िए अस्पतालों में पर्याप्त डॉक्टर और ग्लूकोज़ क्यों नहीं हैं। बच्चों को अस्पताल पहुँचाने के लिए निःशुल्क एंबुलेंस क्यों नहीं है। जब बात पारासिटामोल, थर्मामीटर और ओआरएस की हो रही हो तो फिर सुपरस्पेशियलिटी अस्पताल का राग अलापने वालों की तो दिमाग़ी जाँच हो जानी चाहिए। सीतामढ़ी से लेकर वैशाली और पूर्वी चम्पारण के ज़िलों में बुनियादी स्वास्थ्य सेवाएँ क्यों चरमरा गयी हैं कि बच्चों को बुख़ार के बाद मुजफ़्फ़रपुर के एसकेएमसीएच में ही लाना पड़ता है।

केन्द्रीय मन्त्री दिल्ली लौट चुके हैं और मुख्यमन्त्री पटना। अब चुनाव पाँच साल बाद है तो विपक्ष अपनी ऊर्जा अभी ख़र्च क्यों करे। भारत का स्वास्थ्य बजट कुल जीडीपी का महज़ 1.15 फ़ीसद क्यों है इसके लिए बार–बार सवाल क्यों करें। पूरे स्वास्थ्य क्षेत्र को बीमा कम्पनियों के हवाले करने के ख़िलाफ़ ज़मीनी आन्दोलन न तो पहले हुआ और न आगे होने की उम्मीद दिख रही है। सरकारें वैसे ही काम कर रही हैं जैसे करती हैं और विपक्ष के पैरोकारों के पास नया कुतर्क है कि इन्हें क्यों चुना, अब हम क्यों बोलें। जिन्हें वोट दिया है उनसे बात करो। सौ से ज़्यादा बच्चों की मौत हो जाती है और विपक्ष के नेता ट्वीट कर अपनी ज़िम्मेदारी पूरी कर ले रहे हैं। वे यह भूल जाते हैं कि ये उस तबके के लोग हैं जिन तक इंटरनेट की पहुँच नहीं है। जो माँ–बाप अपने बच्चों को भर पेट खाना नहीं दे पाते हैं वो इन नेताओं के ट्वीट से झलके दर्द को कैसे पढ़ें। पक्ष–विपक्ष और हमारा समाज सौ बच्चों की मौत पर बिना किसी की ज़िम्मेदारी तय किये आसानी से मान जाता है।

उत्तर प्रदेश का गोरखपुर हो या बिहार का मुजफ़्फ़रपुर, दिमाग़ी बुख़ार को लेकर ग़रीब तबके के बच्चों की ही जान जा रही है। इसका मतलब साफ़ है कि बीमारी की वजह लीची नहीं ग़रीबी है। जिस बीमारी को सिर्फ़ बच्चों को भरपेट पौष्टिक खाना देकर रोका जा सकता था उसका हल सुपरस्पेशियलिटी बिस्तर वाले अस्पताल के हवाई वादे में खोजा जा रहा है। ऐसी बीमारी का विषाणु फणीश्वरनाथ 'रेणु' के 'मैला आंचल' के किरदार डॉक्टर प्रशान्त ने आज़ादी के बाद 1954 में ही खोज लिया था–ग़रीबी और ज़हालत। बच्चे मच्छर और लीची से नहीं बल्कि ग़रीबी और लापरवाही से मरते हैं। हमारे देश में लाइलाज ग़रीबी पर पड़े

मैला आँचल को एक बार फिर से इन बच्चों की मौत ने उघाड़ दिया है। उनकी लाशों पर मीडिया के गिद्ध भी मँडरा रहे हैं।

जिस अपराध बोध ('द वल्चर एंड द लिटिल गर्ल' की तस्वीर की मानवीय दृष्टि से आलोचना) में कभी पुलित्जर पुरस्कार से पुरस्कृत पत्रकार केविन कार्टर ने 33 साल की उम्र में आत्महत्या कर ली थी वह अपराध बिना किसी बोध के हम बार–बार बड़े अहंकार के साथ कर रहे हैं। मौत के मंजर पर मीडिया का सैरसपाटा और सोशल मीडिया पर ग़रीब माँओं और बच्चों की अग्रेषित तस्वीरों पर तुरन्ता कविता। किसी एक पोस्ट की तस्वीर को आगे बढ़ा अपनी तुकबन्दी करने वालों ने शायद ही यह जानने की कोशिश की होगी कि जिस तस्वीर पर वे बहुत सारी लाइक्स बटोर चुके हैं उस बच्चे का क्या हुआ? हम यह जाने बिना फिर से चुप हो जायेंगे कि कुपोषित माँ के गर्भ से आये कुपोषित बच्चों का आगे क्या होगा? हम गिद्धों को अपनी खुराक मिल चुकी है और अगले हैशटैग के शिकार तक हम बहुत शान्त रहेंगे।

22 जून 2019

भारतीय स्वाधीनता संग्राम ने पूरे विश्व को अहिंसा का मूल्य दिया था, जिस पर चलने का दावा आज तक हमारी लोकतान्त्रिक संस्थाएँ करती आ रही हैं। अहिंसा के रास्ते पर वही चल सकता है जो मज़बूत है। लेकिन आज झारखण्ड में मौत की सज़ा सुनाती भीड़ और विधायक आकाश विजयवर्गीय का कार्यपालिका पर वार करने के लिए उठा बल्ला हमारी सभी संस्थाओं को एक साथ ढहा रहा है। जब व्यवस्था की ही औकात ख़त्म हो जाती है तो हर कोई एक–दूसरे की औकात पूछने लगता है। लोकतन्त्र के ढाँचे पर काबिज़ होती वर्चस्व की हिंसा पर बेबाक बोल।

दुख है कयामत का

हमें आपने वोट नहीं दिया तो फिर चुनाव के बाद हमारे पास अपने काम को लेकर नहीं आइएगा...जिन्हें मरने वालों पर सवाल करना है वो प्रेस कॉन्फ्रेंस से बाहर चले जायें...आप जज हैं क्या? आप कौन हैं? आपकी हैसियत क्या है...?

इन तीन बिन्दुओं और ऐसे उदाहरणों का कोई अन्त नहीं। हमारा लोकतन्त्र उन नेताओं से ये बातें सुनने का आदी हो गया है जो संवैधानिक तौर पर जनता के लिए चुने जाते हैं। बिहार के मुजफ़्फ़रपुर में बच्चे इसलिए मर रहे हैं क्योंकि उनके पेट में पर्याप्त खाना नहीं पहुँच रहा है। एक माँ के दो बच्चे थोड़ी देर के अन्तराल पर बुख़ार की वजह से मर जाते हैं। जो बाप अपने बच्चे को अपनी खाली जेब के कारण खाना नहीं दे सका निजी एंबुलेंस वाले उससे बच्चे की लाश को ढोने के लिए चार हज़ार रुपये माँगते हैं। सरकारी एंबुलेंस का नम्बर आते पता नहीं कितना समय लगेगा और रिश्वतखोरी वहाँ भी। कहते हैं कि बच्चों का जनाज़ा सबसे भारी होता है। लेकिन माँ–बाप को उस वज़न को ढोना है क्योंकि वो ग़रीब हैं। राज्य के मुख्यमन्त्री सवाल करते लोगों को नफ़रत की निगाहों से देखते हुए सीट बेल्ट बाँध कर जल्दी से निकल जाते हैं। उनके मन में तो होगा ही कि 34 बच्चियों के यौन उत्पीड़न के मामले में मेरी ज़िम्मेदारी तय नहीं हुई तो अब हमसे कौन सवाल पूछेगा। यूनानी विद्वान ने कहा था कि शान्ति काल में सन्तान पिता को दफ़न करती है लेकिन युद्ध के समय पिता सन्तान को दफ़न करता है। आज जब पिता अपने बच्चों का जनाज़ा उठा रहे हैं तो क्या हम बुनियादी सुविधाओं के मामले में युद्ध जैसी स्थिति से गुज़र रहे हैं?

गोरखपुर से लेकर मुजफ़्फ़रपुर तक ग़रीबी और ज़हालत की इन

तस्वीरों के बीच एक विधायक जो इसलिए सत्ता की कुर्सी पर पहुँचे क्योंकि उनके पिता भाजपा के कद्दावर नेता हैं, अपने बल्ले से सरकारी अधिकारी को सरेआम पीटते हैं। इस शर्मनाक हरकत के बाद अपनी शिक्षा–दीक्षा के बारे में शान से कहते हैं–'भाजपा में हमें सिखाया गया है पहले आवेदन, फिर निवेदन और फिर दनादन'। ऐसी शानदार शिक्षा वाले पुत्र के पिता पत्रकारों के सवालों पर पूछते हैं कि आप कौन हैं, आपकी हैसियत क्या है?

आकाश विजयवर्गीय का अधिकारियों पर चलता बल्ला हमारी सभी संस्थाओं को एक साथ ढहा रहा है। आज के दौर में सत्ता के इस अहंकार को किस तरह से देखा जाये? क्या यह एक नेता पुत्र को विरासत में मिले अहंकार का ही मसला है? और सबसे बड़ा सवाल यह है कि इन सबके बीच जनता कहाँ खड़ी है?

आकाश विजयवर्गीय हिंसा और धौंस को जब जायज़ ठहराते हैं तो इस समस्या को सिर्फ़ उन तक ही केन्द्रित नहीं किया जा सकता है। न ही सिर्फ़ उन पर अलग से बात करने का कोई फ़ायदा है। सरकारी दस्ते की पिटाई करता आकाश का बल्ला उस बड़े ख़तरे की ओर इशारा कर रहा है, जहाँ लोकतान्त्रिक मूल्यों के लिए कोई जगह नहीं बच जाती है। सार्वजनिक तौर पर वर्चस्व का विचार कमज़ोर को ही डण्डे से हाँकता है। प्रेस कॉन्फ्रेंस में विधायक पर जूते बरसाते सांसद हों या आकाश, इन वायरल दृश्यों का सबसे बड़ा ख़तरा यह है कि अब किसी को भी राजनीतिक रूप से सही दिखने की ज़रूरत महसूस नहीं होती है।

आधुनिक भारत में हमारे मूल्यबोध का समय स्वाधीनता संग्राम से शुरू होता है। महात्मा गाँधी की अगुआई में चले लम्बे संघर्ष और आज़ादी के बाद हिन्दुस्तान ने पूरी दुनिया को अहिंसा का मूल्य दिया। कमज़ोर लोग अहिंसा के रास्ते पर नहीं चल सकते। अहिंसा के रास्ते पर वही चल सकता जिसके पास ताक़त है, और यह ताक़त उसी के पास है जो लोकतान्त्रिक मूल्यों को समझ और बरत सकता है।

अभी तक हमारी लोकतान्त्रिक संस्थाएँ इसी मूल्य को लेकर चलने का दावा करती रही हैं। पुलिस के पास ताक़त है तो उसे सहनशील होना चाहिए, सेना ताक़तवर है तो उसे कमज़ोर पर वार नहीं करना है। आज भी हमारी निन्दा की जद में सबसे पहले पुलिस का लाठी चलाना ही आता

है। हमारे मूल्य कहते हैं कि पुलिस और सेना की ताक़त उसमें अन्तर्निहित है तो उसे सहनशील होना ही होगा। पुलिस की लाठी और सेना की गोली कमज़ोर पर चलाने के लिए नहीं कमज़ोर की रक्षा के लिए है। आज भी अदालत हमारा अन्तिम सहारा है जहाँ से न्याय पाकर कमज़ोर से कमज़ोर इन्सान कहता है कि भगवान के घर में देर है अन्धेर नहीं। अब इन्हीं लोकतान्त्रिक संस्थाओं पर वर्चस्व का ख़तरा मँडरा रहा है।

आज जिसे भी ताक़त मिल रही है वो ख़ुद को सहनशील नहीं ताक़तवर दिखाना चाह रहा है। हम सब यह जानते और मानते हैं कि ताक़त अगर अनियन्त्रित हो जाये तो लोकतान्त्रिक संस्थाएँ नहीं बचेंगी। आकाश विजयवर्गीय का पिटाई के लिए उठा बल्ला विधायिका, कार्यपालिका, न्यायपालिका और पत्रकारिता सब पर सवाल उठा रहा है। न्यायपालिका और कार्यपालिका के काम पर विधायिका का बल्ला चलता है और उनके पिता पत्रकारिता से पूछते हैं कि तुम्हारी औकात क्या है। इन सबके बीच जनता है जिसके राजनीतिकरण का सवाल है। जनता का राजनीतिकरण किन मूल्यों पर हो रहा है। यह अगर झारखण्ड जैसी घटनाओं की ओर जा रहा है तो कितनी देर तक और किसके बचने की उम्मीद करें। हमने चोर को पकड़ लिया और ख़ुद ही सज़ा देने बैठ गये। विधायक निगम के दस्ते पर बल्ला चलाते हैं तो कहीं किसी दूर गाँव में लोगों की भीड़ फ़ैसला कर लेती है कि वह अपनी तरह से सज़ा देने के लिए किसी की जान भी ले सकती है। विधायक अपने स्तर पर हिंसा कर रहा है और जनता अपने स्तर पर।

किसी की जान लेने वाली झारखण्ड की भीड़ से लेकर हिंसा करता विधायक तक, आज राजनीतिकरण की पूरी प्रक्रिया पर ही सवाल है। हमने जीत लिया, हम बहुमत में हैं और हम ही मूल्य तय करेंगे। दूसरी अति यह कि आप बहुमत में हैं, सत्ता में हैं तो बुख़ार से मर रहे बच्चों के लिए या भीड़ की हिंसा में मर रहे लोगों के लिए हम क्यों बोलें। हिन्दुस्तान के इतिहास में ऐसा पहली बार नहीं हुआ है कि लगातार दूसरी बार कोई एक ही पार्टी शासन में आयी है। प्रचण्ड बहुमत से आये या सामान्य बहुमत से सत्ता तो सत्ता ही होती है। लेकिन हमारा विपक्ष यह इतिहास बनाने में ज़रूर लगा है कि बिना सत्ता हमें लोक के लिए खड़ा नहीं होना। वहीं सत्ता पक्ष का यह हाल है कि कोई अय्यर या थरूर बोलें

तो तमाम भगवा कुनबा कांग्रेस नेतृत्व पर टूट पड़ता है कार्रवाई के लिए। लेकिन विजयवर्गीय को लेकर हर तरफ़ सन्नाटा है।

वर्चस्व और हिंसा का यह इल्ज़ाम पूरी व्यवस्था पर है। तुम्हारी हैसियत क्या है, से पत्रकारिता के मूल्यों को ख़त्म मान लिया जा रहा है। हर तरफ़ से लोग मीडिया से उसकी औकात पूछ रहे हैं। मीडिया से उसकी औकात ऐसे पूछी जा रही है जैसे वह अन्य इकाइयों से अलग मंगल ग्रह पर स्थित कोई संस्था हो, उसका लोकतन्त्र के अन्य खम्भों से कोई अन्योन्याश्रित सम्बन्ध नहीं है। जब बाज़ारीकरण समाज और जीवन का मूल्य बन जायेगा तो पत्रकारिता कैसे बची रह सकती है। जब व्यवस्था ढह रही हो तो कोई एक नेता या एक पत्रकार उसे नहीं बचा सकता है। आज ज़रूरत है राजनीतिक व्यवस्था और मूल्यों को बचाने की। जब व्यवस्था की हैसियत ख़त्म हो जाती है तो हर कोई एक–दूसरे की हैसियत पूछने लगता है। बिना सामूहिक शोक के हम नवनिर्माण के जोश में नहीं आ सकते। अब नहीं तो कब। आज व्यवस्था वर्चस्व की हिंसा और मुजफ़्फ़रपुर में मरते बच्चों पर चुप रहने का आसान विकल्प तलाश सकती है। लेकिन सनद रहे...

ज़ब्त लाजिम है मगर दुख है क़यामत का फराज़
जालिम अब के भी न रोयेगा तो मर जायेगा।

29 जून 2019

तृणमूल कांग्रेस की नेता महुआ मोइत्रा जब भारतीय संसद में वाशिंगटन डीसी स्थित होलोकॉस्ट मेमोरियल म्यूज़ियम के पोस्टर के हवाले से फ़ासीवाद के लक्षण बता रही थीं उसी वक़्त पश्चिम बंगाल में तूल पकड़ा 'कटमनी' का मामला वाम की विरासत वाले राज्य में लोकतन्त्र का हाल बयान कर रहा था। बिहार के जो नेता भय जता रहे थे कि अगर हम नहीं जीते तो 2019 के बाद चुनाव ही नहीं होगा वे जनादेश के बाद जनता के बीच से ही ग़ायब ही हो गये। इस माहौल में देश की सबसे पुरानी पार्टी के अध्यक्ष राहुल गाँधी हार की ज़िम्मेदारी लेते हुए अपना पद छोड़ने का साहसिक फ़ैसला लेते हैं। नवउदारवादी नीतियों के ख़िलाफ़ बोल रहे राहुल गाँधी आज कांग्रेस की सामन्ती मानसिकता के मलबे के ढेर पर खड़े हैं। विपक्ष के सूने मैदान पर राहुल गाँधी को कैसी मेहनत और ऊर्जा की दरकार है इसकी बात करता बेबाक बोल।

शर्म उनको मगर...

काबे किस मुँह से जाओगे गालिब
शर्म तुम को मगर नहीं आती

कांग्रेस के वे सभी बड़े नेता जो नेहरू–गाँधी परिवार के नाम पर राजनीति में अपने परिवार को आगे बढ़ा रहे थे उन्हें उम्मीद नहीं थी कि राहुल गाँधी अपने फ़ैसले पर टिके रहेंगे। जंग–ए–आज़ादी की विरासत का तमगा पहने पार्टी के बड़े नेताओं को लग रहा था कि हर बार की तरह उनके दबाव में आलाकमान अपना फ़ैसला बदल देंगे और सब कुछ पहले की तरह चलता रहेगा। राहुल गाँधी की अपील के बाद भी किसी बड़े नेता ने अपना इस्तीफ़ा नहीं दिया। राहुल गाँधी तो अपने फ़ैसले पर टिके रहे, लेकिन अब ये लोग जनता के पास किस मुँह से जायेंगे जिन पर आरोप लग चुके हैं कि कांग्रेस की राजनीति में इनका मक़सद सिर्फ़ अपने बेटों के पाँव जमाना है। चुनावों के समय जब ये अपने आरामगाह से निकलेंगे तो क्या जनता से आँखें मिलाते वक़्त इन्हें शर्म आयेगी?

राहुल गाँधी ने हार की ज़िम्मेदारी लेते हुए अध्यक्ष पद छोड़ दिया है। ट्वीटर खाते पर भी अपना परिचय बदलने में देर नहीं लगाई। राहुल गाँधी को यह बात समझ आ चुकी है कि जब जनता के बीच साख नहीं रही तो अपने सामन्ती सोच वाले समर्थकों के लिए कांग्रेस अध्यक्ष बनकर क्या करना। जनता के बीच की साख की अहमियत उनकी माँ सोनिया गाँधी ने भी समझी थी। विदेशी मूल वाले मुद्दे के तूल पकड़ने पर सोनिया गाँधी ने प्रधानमन्त्री का पद ठुकरा दिया था। विदेशी मूल ऐसा भावुक मुद्दा था जिस पर कांग्रेस के कुछ वरिष्ठ भी पार्टी का साथ छोड़कर चले गये थे। आज अगर राष्ट्रवादी कांग्रेस पार्टी के नेता सोनिया गाँधी के इस त्याग की तारीफ़ कर कांग्रेस में एक हो जाने की बात करते हैं तो

सोनिया की दूरदृष्टि को समझा जा सकता है। तारिक अनवर तो घर वापसी कर भी चुके हैं।

यूपीए–दो के शासन के वक़्त ही सोनिया गाँधी और राहुल समझ चुके थे कि नवउदारवाद के राजमार्ग पर सत्ता का रथ नहीं दौड़ाया जा सकता है। आर्थिक सुधार के नाम पर बनाये उस मार्ग पर कमज़ोर तबकों के लिए कोई सहायक सड़क नहीं थी। किसान, कामगार सब हाशिए पर पहुँच चुके थे। अर्थव्यवस्था के इस हाल का उपचार अर्थशास्त्र के किसी डॉक्टर के पास नहीं था और कांग्रेस की विदाई तय थी।

2014–2019 के सफ़र में राहुल गाँधी ने भी जनता से जुड़ने में देर कर दी थी। पूरी कांग्रेस पार्टी इसी भरोसे बैठी थी कि लोग महज़ सरकार बदलने के लिए उन्हें वोट दे देंगे। राहुल गाँधी अगर इतने आहत हैं तो वह इसलिए कि उन्हें 23 मई 2019 को अहसास हुआ कि उनकी पार्टी के लोगों का ज़मीन से कोई रिश्ता नहीं है। उन तक अमेठी से लेकर पूरे हिन्दुस्तान तक की ज़मीनी रिपोर्ट ग़लत पहुँच रही थी। कुछ लोगों को सच का पता था। शायद इसलिए उन्होंने केरल के वायनाड से भी परचा भर दिया और आज उनके परिचय में लोकसभा के सांसद का पद जुड़ा हुआ है।

2014 की हार के बाद राहुल गाँधी ने तो अपनी भाषा बदल ली थी। पिछले पाँच सालों में वे उसी अर्थव्यवस्था के कटु आलोचक बने, जिसका रास्ता प्रणब मुखर्जी, डॉक्टर मनमोहन सिंह और पी. चिदम्बरम ने तैयार किया था। भट्टा–पारसौल से शुरू हुई उनकी पाठशाला सबको न्यूनतम आय की योजना तक पहुँची थी। राहुल सीख रहे थे, समझ रहे थे। लेकिन उनकी ख़ुद की भी मेहनत उतनी ज़्यादा नहीं थी कि उन्हें वांछित नतीजे मिलते।

पिछले पूरे पाँच साल राहुल वर्तमान कांग्रेस यहाँ तक कि ख़ुद के ख़िलाफ़ होकर बोल रहे थे। लेकिन अपने व्यक्तिगत प्रदर्शन को वो पार्टी के ढाँचे तक नहीं पहुँचा सके। पार्टी का ढाँचा वही सामन्ती सोच का रहा। ऐन चुनावों के समय राहुल जो 72000 वाला घोषणापत्र लेकर आये उसे बड़े–बड़े कांग्रेसी नेता नहीं समझ पा रहे थे तो वो जनता को क्या समझा पाते। यह वह समय था जब ज़्यादातर कांग्रेसी अपना सुरक्षित भविष्य देखते हुए भाजपा का दामन थाम रहे थे। 2014–2019 के दौरान कांग्रेसी

नेता जितनी बड़ी संख्या में भाजपा में शामिल हुए उससे पता चलता है कि पार्टी के लोग वैचारिक रूप से कितने कमज़ोर थे। अब तक वे सिर्फ़ इसलिए कांग्रेसी थे क्योंकि सत्ता कांग्रेस की थी। सत्ता हाथ से निकलते ही कांग्रेस का संगठनात्मक ढाँचा ध्वस्त हो गया और उसके मलबे की ईंटों ने सत्ता पक्ष की दीवारों में लग जाना पसन्द किया।

राहुल गाँधी ने इस्तीफ़ा दे दिया है और कांग्रेस को नेहरू–गाँधी परिवार से बाहर का नया अध्यक्ष मिल जायेगा। उसके बाद क्या? क्या कांग्रेस की समस्या सिर्फ़ वंशवाद है? राहुल गाँधी ने अपने इस्तीफ़े के साथ जो पत्र जारी किया है उसमें तृणमूल कांग्रेस की सांसद महुआ मोइत्रा के नवउदारवादी बौद्धिक वर्ग के भाषण की छाप है। महुआ मोइत्रा संसद में रामधारी सिंह दिनकर की पंक्तियों से सोशल मीडिया पर साप्ताहिक सितारा तो बनी हुई थीं लेकिन पूछने वाले तो पूछ ही रहे थे कि क्या आपको कमज़ोर होते लोकतन्त्र के लक्षण पश्चिम बंगाल में नहीं दिखे थे। वाम शासन के समय से ही शासन की योजनाओं पर माफिया काबिज़ हो चुके थे। सरकारी योजना से ग़रीब के घर को बनाने के लिए कौन राजमिस्त्री जायेगा यह भी राजनीतिक गुंडे ही तय करते थे। अब पश्चिम बंगाल में 'मज़बूत लोकतन्त्र' की निशानी तो देखिए कि एक मुख्यमन्त्री राजनीतिक गुंडों से कह रही हैं कि 'कटमनी' यानी गुंडागर्दी से जमा किये गये पैसे वापस करो। सबसे ठगा हुआ तो बंगाल का वह लोक है जिसका ज़िक्र शायद वाशिंगटन डीसी के होलोकॉस्ट मेमोरियल म्यूज़ियम के पोस्टर में नहीं होगा।

यहाँ पर महुआ मोइत्रा के भाषण का ज़िक्र इसलिए कि राहुल ने देश के हालात को भी अपनी हार के कारणों में गिना है। उन्होंने कहा कि हमारा लोकतन्त्र बुनियादी तौर पर कमज़ोर है और इसके साथ ही ख़तरा जताया है कि अब चुनाव महज़ रस्म अदायगी होगी। यहाँ पर राहुल से सवाल यह है कि भारत का लोकतन्त्र अगर कमज़ोर है तो उसकी इस कमज़ोरी का ज़िम्मेदार कौन है? आप पाँच साल ग़ायब रहेंगे और ऐन चुनावों के वक़्त न्यूनतम आय वाली योजना लेकर आयेंगे तो सामने वाले पक्ष के लिए चुनाव तो रस्म अदायगी हो ही जायेगी।

राहुल ने अपने पत्र में कहा है कि भारत में आदत है सत्ता से चिपके रहने की...कोई सत्ता की कुर्बानी नहीं देना चाहता, विरोधियों को बिना

क़ुर्बानी हरा नहीं सकते। इस चिट्ठी को लिखते वक़्त अगर राहुल गाँधी लोकसभा में अपनी माँ सोनिया गाँधी का भाषण सुन रहे होंगे तो उन्हें राह वहीं से दिखेगी। संसद में वाम और अवाम ख़त्म है और पूरे विपक्ष की ज़मीन खाली है। सोनिया गाँधी ने संस्थाओं के निजीकरण के ख़िलाफ़ बोल कर जनपक्षधरता का मोर्चा सँभाला है। इसके साथ ही राहुल गाँधी को अटल बिहारी वाजपेयी के समय का नारा भी याद रखना होगा, 'दो से दोबारा'। लोकतन्त्र में अहम ज़िम्मेदारी विपक्ष की होती है, और उसे ही ज़्यादा मेहनत करनी होती है। इतनी बड़ी हार के बाद भी अपने–अपने पदों से चिपके कांग्रेसी बता रहे हैं कि लड़ाई कितनी मुश्किल है। कांग्रेस ढाँचागत स्तर पर ध्वस्त हो चुकी है। इसे सामन्ती, वंशवादी नेताओं की पकड़ से निकाल ज़मीन से जुड़े लोगों तक पहुँचाना होगा। राजनीति में क़ुर्बानी से ज़्यादा मायने मेहनत की है। अगर आपने मेहनत नहीं की तो इस क़ुर्बानी को भी इतिहास में प्रहसन ही माना जायेगा। उम्मीद है, राहुल कड़ी मेहनत के लिए तैयार होंगे, क्योंकि इसके अलावा अब कोई विकल्प है ही नहीं।

6 जुलाई 2019

राहुल गाँधी को विरासत सौंपनी हो या फिर अखिलेश यादव को, ख़ास राजनीतिक दलों में अचानक से युवाओं को नेतृत्व देने की हलचल मच जाती है। पिता की गद्दी पर सन्तान के काबिज़ होते ही भारतीय राजनीतिक दलों की 'युवा नेतृत्व' की ज़रूरत पूरी हो जाती है। इसके साथ ही इन सन्तानों को पहली महिला प्रधानमन्त्री, सबसे कम उम्र का प्रधानमन्त्री या सबसे कम उम्र के सांसद का खिताब भी मिल जाता है। आज़ाद लोकतान्त्रिक भारत में भी राजा का बेटा राजा वाली सामन्ती प्रवृत्ति को पूरे समाज का मौन समर्थन मिला हुआ है। आज कश्मीर से लेकर कन्याकुमारी तक राजनीतिक दलों में वंश की अमरबेल फल–फूल रही है। हंगामा तभी उठता है जब वारिस नाम कमाने में नाकाम होता है। आज अगर राहुल गाँधी वंशवाद के खलनायक हैं तो उसी समय जगनमोहन रेड्डी नायक क्यों माने जा रहे, यह समझने की कोशिश करता बेबाक बोल।

अमरबेल

अखिलेश यादव, एमके स्टालिन, अभिषेक बच्चन और अम्बानी...। अमेरिका के बर्कले में इन नामों को लेते हुए कांग्रेस नेता राहुल गाँधी ने भारत में वंशवाद पर कहा था कि आप सब सिर्फ़ मेरे पीछे क्यों पड़े हैं। मुल्क का ज़्यादातर हिस्सा इसी तरह चलता है। भारत इसी तरह काम करता है...। यह वह समय था जब राहुल ने कांग्रेस अध्यक्ष का पद नहीं सँभाला था। दिसम्बर 2017 में कांग्रेस को हवा का रुख़ अपनी तरफ़ लगने लगा तो राहुल गाँधी को पार्टी का अध्यक्ष बना दिया गया। लेकिन लोकसभा चुनाव में करारी हार के बाद राहुल गाँधी ने कांग्रेस अध्यक्ष पद से इस्तीफ़ा दे दिया।

राजा का बेटा राजा की परम्परा वाले इस देश में डॉक्टर की सन्तान डॉक्टर और वकील की सन्तान वकील होने की आम बात की तरह नेता की सन्तान के नेता बनने को एक मौन स्वीकृति सी दे दी गयी है। वंशवाद का तूफ़ान तभी उठता है जब वारिस राजनीति में बेहतर नतीजे नहीं दे पाता है। आज अगर राहुल गाँधी वंशवादी चेहरों में खलनायक के तौर पर देखे जा रहे हैं तो आन्ध्र प्रदेश में जगनमोहन रेड्डी को नायक की तरह देखा जा रहा है। जगनमोहन रेड्डी को लेकर आम जनता में यही सहानुभूति थी कि तत्कालीन कांग्रेस अध्यक्ष सोनिया गाँधी को वाईएसआर रेड्डी के निधन के बाद उनके बेटे को ही सत्ता सौंपनी थी। जगनमोहन रेड्डी जब चुनाव में जलवा दिखा चुके हैं तो उनकी वंशवादी दृष्टिकोण से आलोचना नहीं हो रही है।

आँकड़ों की बात करें तो उत्तर में गाँधी–नेहरू, बादल, चौटाला, हुड्डा, पासवान, यादव और शेख से लेकर दक्षिण में देवगौड़ा और करुणानिधि की सन्तानों तक 30 से ज़्यादा वंशवादी परिवारों ने अपना कब्ज़ा जमा रखा है। जब तक पार्टी की बड़ी हार नहीं होती है तब तक इसे लेकर

चुप्पी ही बरती जाती है। जब किसी ख़ास नेता की सन्तान राजनीति में आने लायक हो जाती है, तब उसकी पार्टी में अचानक युवा नेतृत्व को जगह देने का हंगामा बरपाया जाता है। राहुल गाँधी से लेकर अखिलेश यादव या तेजस्वी यादव हों सारे मामलों में ऐसा ही देखा गया। नेता की सन्तान को स्वीकृति मिल जाने के साथ ही पार्टी का युवा नेतृत्व मुकम्मल मान लिया जाता है।

जाति भेद और जेंडर भेद की तरह ही वंशवाद को भारतीय परम्परा का हिस्सा माना जाता रहा है। औपनिवेशिक गुलामी से आज़ादी के साथ आधुनिक भारत का इतिहास आगे बढ़ता है। 15 अगस्त 1947 को आज़ाद हो जाने के बाद या 26 जनवरी 1950 को भारत का संविधान लागू हो जाने के बाद बदली तारीख़ों से क्या सामाजिक और सांस्कृतिक बदलाव भी आया? लोकतन्त्र में अलग–अलग पार्टियों का एजेंडा क्या रहा। क्या ये दल सिर्फ़ विचारधारा और नीतियों के बल पर आगे बढ़े?

ज़ाहिर–सी बात है कि अलग राजनीतिक और नीतिगत विचारधाराओं के कारण ही अलग तरह के दलों का निर्माण होता है। यानी सारे दल एक नहीं हो सकते। अगर भाकपा से अलग होकर माकपा और कांग्रेस से अलग होकर राकांपा बनी तो इसके पीछे ख़ास विचारधारा थी। लेकिन आज हम विचारधारा को पीछे छोड़ इसका सरलीकरण करते हैं। वाम का गढ़ ढह जाने के बाद सलाह दी जाती रही है कि माकपा, भाकपा और भाकपा माले सभी वामपन्थी दलों को एक हो जाना चाहिए। लेकिन जिन दलों का जन्म ही विचारधारा की बुनियाद पर हुआ, वे विपरीत विचारधारा के साथ एक कैसे हो सकते हैं? जनता के जनवाद और राष्ट्रीय जनवाद में अगर अन्तर है तो फिर इन दलों के एक होने को कैसे जायज़ ठहराया जा सकता है जब इनका जन्म ही भिन्न विचारधाराओं से हुआ।

दिक़्क़त यही है कि भारतीय राजनीति में विचारधारा गौण हो चुकी है। एक पार्टी का गठन किसी ख़ास विचारधारा के साथ होता है और जल्दी ही वह व्यक्ति आधारित पार्टी बन जाती है और तय हो जाता है कि पार्टी के आगे का नेतृत्व उस व्यक्ति की सन्तान को ही मिलेगा। नब्बे के दशक से कांग्रेस की नीतियों के ख़िलाफ़ एक वैचारिकी का निर्माण होना शुरू हुआ था। इसमें वाम के साथ समाजवादी आन्दोलन की धारा से निकले नेता भी थे। कांग्रेस की वैचारिकी के ख़िलाफ़ बनी ज़मीन

पर ही चौधरी चरण सिंह, देवीलाल से लेकर मुलायम सिंह यादव, लालू यादव और एचडी देवगौड़ा जैसे नेता निकले। लेकिन जल्द ही ये क्षेत्रीय क्षत्रप कहलाये जाने लगे। उत्तर भारत में आज कोई ऐसी पार्टी नहीं है जो वैचारिक आधार पर क्षेत्रीय एजेंडे के साथ चल रही है। ये सारे दल मूलतः जातिवादी हो गये हैं। जातीय अस्मिता में भी मुखिया की सन्तान ही मुखिया होती है। बहुजन समाज पार्टी के संस्थापक कांशीराम एक ख़ास वैचारिकी से उपजे नेता थे और उनकी राजनीतिक विरासत मायावती को मिली। लेकिन सुश्री मायावती ने अपनी राजनीतिक विरासत के लिए विचारधारा नहीं अपना वंश देखा। 2014 के लोकसभा चुनाव के बाद से ही बसपा अपने वजूद की लड़ाई लड़ रही है। इस घोर संकट के समय में भी पार्टी और विचारधारा की जगह बसपा प्रमुख ने अपने परिवार को जगह दी। एक समय बिहार में अपनी विचारधारा के कारण राष्ट्रीय जनता दल की तूती बोलती थी। लेकिन आज यह चाचा–भतीजी और भाई–भाई की लड़ाई के कारण जाना जाता है। लालू प्रसाद के राजनीतिक परिदृश्य से दूर होते ही चुनावों में राजद को जनता ने नकार दिया क्योंकि पार्टी को विरासत में नेतृत्व नहीं सन्तान मिली थी, जिन्हें नेता बनाने की मेहनत भी करनी थी। उत्तर प्रदेश में मुलायम सिंह की विरासत भी वारिसों के दंगल में धूल चाट चुकी है।

आज राजनीति में वंश और जाति के सिवा विकल्प ही क्या रह जाता है? वर्तमान स्थिति में कांग्रेस यही जाप करती रही कि भाजपा ने हमारी सारी नीतियाँ नाम बदलकर अपने नाम करवा लीं। इसका मतलब यह है कि भाजपा की नीति और कांग्रेस की नीति में कोई फ़र्क़ नहीं है। अगर नीतियों में कोई फ़र्क़ ही नहीं है तो फिर कांग्रेस की वापसी का मतलब क्या रह जाता है? अब नीति नहीं है तो फिर नाम का ही आसरा होगा।

इस दौर की खासियत यह है कि राष्ट्रवाद और हिन्दुत्व के नारों के बीच क्षेत्रीय क्षत्रपों के सिर पर कोई छाता नहीं बचा है। राष्ट्रीय अस्मिता की पहचान क्षेत्रीय पहचानों पर भारी पड़ रही है। राष्ट्रवाद के सोख्ते ने छोटे दलों को ख़ुद में समा लिया है। एक देश...एक कर से लेकर एक नेता तक की अवधारणा को बल मिला है। गाँव–क़स्बा–शहर हो या आदिवासी समुदाय सबको एक राष्ट्रवादी चौखटे में लाने की कोशिश। कांग्रेस को भी समझ नहीं आ रहा है कि इस हालात का मुक़ाबला कैसे

किया जाये। सोनिया गाँधी और राहुल गाँधी नवउदारवादी भाषा में सवाल उठाते हुए ख़ुद ही दिग्भ्रमित दिखते हैं। जब उदारवादी चेहरा ही ख़त्म हो चुका है तो आपके नवउदारवादी भाषणों के लिए जगह कहाँ बनेगी।

वंश और जाति के बाद राष्ट्रवाद। इस राष्ट्रवाद का विकल्प क्या होगा? ज़ाहिर–सी बात है कि विकल्प दिखेगा वैकल्पिक नीतियों से। अगर नीति बदलेगी तो स्वाभाविक रूप से नेतृत्व भी बदलेगा। कश्मीर से लेकर कन्याकुमारी तक हर दल में वंश की अमरबेल फैली हुई है। इसका तोड़ भी नीति के स्तर पर ही लाया जाता रहा है। दुखद यह है कि नयी नीतियों के साथ पार्टी खड़ा करने वाला जननायक भी अपनी सत्ता सिर्फ़ अपने वंश को सौंपना चाहता है। इसके लिए वह उन नीतियों से समझौता कर बैठता है जिसके कारण जनता उसे सत्ता के शीर्ष पर भेजती है। विकल्प के रूप में लाया नेता भी अपने वारिस को ही आगे बढ़ाने का संकल्प ले बैठता है। फ़िलहाल तो भारतीय राजनीति में वंश के इस दंश से छुटकारे के आसार नहीं दिख रहे।

13 जुलाई 2019

2014 के लोकसभा चुनावों के बाद से ही कांग्रेस के लिए करो या मरो का नारा दिया जा रहा है। कांग्रेस की चुनौतियों पर विश्लेषण की भरमार है। लेकिन कांग्रेसी नेता हर उस पैरोकार को शर्मिन्दा कर रहे हैं जो भारतीय लोकतन्त्र के लिए इस ऐतिहासिक राजनीतिक पार्टी को ज़रूरी मान रहे हैं। पंजाब एकमात्र ऐसा राज्य है जहाँ कांग्रेस मज़बूती से शासन में है। लेकिन वहाँ के नेता तू–तू मैं–मैं कर पार्टी की पूरी फ़ज़ीहत कराने पर तुले हैं। दिल्ली में शीला दीक्षित और पीसी चाको का टकराव देखकर लगता है कि इन्होंने तय कर लिया है कि हम स्वार्थों के लिए मरेंगे लेकिन पार्टी को जिन्दा करने के लिए कुछ नहीं करेंगे। सेवा दल तो कांग्रेस में रहा नहीं, अब मेवा खाने वालों के मेले पर बेबाक बोल।

गुरू हो गये शुरू

क्रिकेट के बाज़ार में बीसीसीआई एक ताक़तवर संस्था बन चुकी है। लेकिन भारतीय क्रिकेट टीम पर आरोप लगते रहे हैं कि वह टीम की तरह नहीं खेलती है। भारतीय क्रिकेट के 'भगवान' पर भी अपने व्यक्तिगत प्रदर्शन पर तवज्जो देने के आरोप लग चुके हैं। भारतीय क्रिकेट टीम के पूर्व सितारे नवजोत सिंह सिद्धू के पंजाब मन्त्रिमण्डल से इस्तीफ़ा और कैप्टन अमरिन्दर सिंह से लम्बे समय से उनकी तनातनी कांग्रेस की राजनीति में भी उसी प्रवृत्ति का इशारा कर रही है। देश के सबसे पुराने राजनीतिक संगठन कांग्रेस के नेता एक संगठन की तरह काम करना भूल चुके हैं। अब जब एकमात्र केन्द्रीय चेहरा राहुल गाँधी दृश्य से बाहर हैं तो क्षेत्रीय क्षत्रप सिर्फ़ अपनी बल्लेबाज़ी कर क्षेत्ररक्षण से फ़रार होने की कोशिश कर रहे हैं।

2014 से ही हम राजनीतिक टिप्पणीकार कांग्रेस की समस्या पर बात कर रहे हैं और इस पर बहुत कुछ लिखा भी जा चुका है। अब एक बार फिर से सिद्धू और अमरिन्दर की कहानी के ज़रिये कांग्रेस की कहानी पर बात कर ली जाये क्योंकि जो इन दोनों की समस्या है वही कांग्रेस की समस्या है। हिन्दुस्तान के नक़्शे पर पंजाब इकलौता सूबा बचा है जहाँ कांग्रेस की साख बची हुई है। विधानसभा से लेकर लोकसभा चुनावों में पंजाब की जनता ने कांग्रेस नेतृत्व पर भरोसा जताया। राजस्थान, मध्य प्रदेश से लेकर कर्नाटक में वह अस्तित्व के संकट से जूझ रही है। इन राज्यों में कभी भी लुढ़कने वाली हालत में होकर भी पार्टी के नेताओं को अक्ल नहीं आयी है। ऐसे समय में जब पंजाब की छवि को मज़बूत करना था तो दोनों नेता उसी डाल को कुल्हाड़ी से काटने नें जुट गये जिस पर बैठे हैं।

2014 के लोकसभा चुनाव में शर्मनाक हार के बाद उम्मीद थी कि पार्टी अपनी विरासत और ज़िम्मेदारियों को समझते हुए उठ खड़ी होगी। लेकिन तभी पता चला कि कांग्रेस के नेताओं को विचारधारा के नाम पर सिर्फ़ सत्ता समझ में आती है। ये कांग्रेसी इसलिए थे क्योंकि सत्ता सुख वहीं मिल रहा था। सत्ता से हटते ही पद लोलुप नेता भाजपा को कांग्रेस–युक्त करने में जुट गये। सबका मक़सद एक ही था, ख़ुद के लिए या फिर सन्तान के लिए टिकट हासिल कर लेना। पिछले पाँच साल में किसी कांग्रेसी नेता ने जनता से जुड़ने के लिए कोई ज़मीनी लड़ाई नहीं छेड़ी। हाँ, करारी हार के बाद आपस में लड़कर एक–दूसरे की ज़मीन ज़रूर खिसकाने लगे।

अशोक गहलोत जैसे वरिष्ठ नेता कांग्रेस के ऐतिहासिक संकट के दौर में इतिहास के पन्नों में इसलिए दर्ज किये जायेंगे कि वे युवा नेता सचिन पायलट को कह रहे हैं कि वे उनके बेटे की हार की ज़िम्मेदारी लें। राजस्थान में कांग्रेस नेतृत्व ने जितनी मेहनत चुनाव जीतने में नहीं की थी उससे ज़्यादा मेहनत वहाँ के मुख्यमन्त्री को चुनने में करनी पड़ी। समझौते और तुष्टीकरण के बाद राहुल के दायें और बायें खड़े अशोक गहलोत और सचिन पायलट वाली जो तस्वीर जारी हुई थी उसने आलाकमान के हाथ से कमान निकल जाने की कथा कह डाली थी।

राजनीतिक टिप्पणीकार से लेकर कई विश्लेषक जब यह साबित करने में जुटे हैं कि कांग्रेस ऐसे–वैसे उबर सकती है, फिर से उठ खड़ी हो सकती है तब कांग्रेस का हर चेहरा अपने अलग–अलग स्वार्थ दिखा इन उम्मीदों पर पानी फेर देता है। कोई एक विश्लेषक कह देता है कि कांग्रेस को मर जाना चाहिए तो लोग उसे बचाने की ज़रूरत पर बोलते हैं। लेकिन ऐसे हर पैरोकार को ये कांग्रेसी नेता अपने स्वार्थ से शर्मिन्दा कर जाते हैं जो सवा सौ साल से ज़्यादा पुरानी पार्टी को देश के लोकतन्त्र के लिए ज़रूरी बताते हैं।

इकलौते मज़बूत राज्य में भी जब कांग्रेसी तू–तू मैं–मैं में लगे हैं तो ज़रा सामने देखिए कि इसे चुनावों में लड़ना किससे है। जिससे लड़ना है अब कांग्रेस को सीखना भी उससे ही है अगर बचे रहना है तो। पिछले पाँच सालों में भारतीय जनता पार्टी ने राजनीति का पूरा परिदृश्य बदल कर रख दिया है। एक व्यक्ति केन्द्रित चुनाव के अध्यक्षीय स्वरूप को

यहाँ की जनता स्वीकार कर चुकी है। केन्द्रीयकृत मज़बूत चेहरे ने भरोसा दिलाया है कि वह सबके साथ है। अब यह कोई अतिशयोक्ति नहीं रह गयी कि लोग निगम चुनावों में भी नरेन्द्र मोदी के नाम पर वोट दे रहे हैं। नोटबन्दी जैसे कड़े आर्थिक फ़ैसले में जनता जिसके साथ रही उसकी छवि से मुक़ाबला करने के लिए कांग्रेस को ज़मीन–आसमान एक कर देने जैसी मेहनत की दरकार थी। लेकिन कांग्रेसी नेता ज़मीन से दूर रहकर नेहरू–गाँधी वंश के नाम पर वोट मिल जाने की उम्मीद पाले बैठे रहे।

भाजपा ने पिछले पाँच साल में सांगठनिक अनुशासन की जो छवि पेश की है उससे कांग्रेस को सीखना होगा। छत्तीसगढ़ जैसे राज्य में यह सभी उम्मीदवारों को बदल देती है और पार्टी से एक उफ्फ की आवाज़ नहीं आती है। इसके पहले भी कई राज्यों के चुनावों में पार्टी ने कड़े फ़ैसले किये और भाजपा आलाकमान को सबका साथ मिला। सत्रहवीं लोकसभा का मन्त्रिमण्डल गठन मीडिया और बाहरी लोगों के शब्दों में झटका था तो भाजपा में सामूहिक स्वीकार। मन्त्रिमण्डल गठन के पहले और बाद भी पार्टी में जिस तरह का अनुशासन देखा गया भारतीय राजनीति में वह लम्बे समय के बाद लिखा गया नया अध्याय था।

तीन हिन्दी प्रदेशों में कांग्रेस की जो जीत हुई उसमें अहम बात यह थी कि वहाँ की सत्ता से जनता नाराज़ थी। लम्बे समय तक चले किसान आन्दोलन के कारण भाजपा शासित राज्यों में नकारात्मक भाव आ चुका था। कांग्रेस का कौन नेता जीता इससे ज़्यादा अहम यह दिखा कि शिवराज सिंह चौहान, रमण सिंह और वसुन्धरा राजे हारे। कांग्रेस की दिक़्क़त यह रही कि इन राज्यों में जीत के बाद वहाँ कोई केन्द्रीयकृत छवि नहीं उभरी। अशोक गहलोत या भूपेश बघेल जैसे क्षेत्रीय क्षत्रपों के उभार से राहुल गाँधी के क़द का विस्तार नहीं हुआ उल्टे कमलनाथ की छवि और राजस्थान में नेतृत्व के समझौते ने आलाकमान का क़द घटाया ही। पंजाब में अमरिन्दर ही कैप्टन की भूमिका में दिखे जहाँ दिल्ली की छवि बहुत दूर थी।

आज कांग्रेस का 'सेवा दल' इतिहास बनकर मेवा खाने वालों के मेले में तब्दील हो चुका है। जब कोई सांगठनिक ढाँचा ही नहीं है तो किसी भी तरह के अनुशासन की उम्मीद भी कैसे की जा सकती है। दिल्ली जैसे राज्य में भाजपा और आम आदमी पार्टी विधानसभा चुनाव के लिए

सब कुछ दाँव पर लगा रहे हैं। लेकिन कांग्रेसी एक–दूसरे का राजनीतिक कॅरियर ख़त्म करने पर तुले हैं। पंजाब से लेकर दिल्ली तक में केन्द्रीय नेतृत्व का कोई अस्तित्व ही नहीं दिख रहा है।

बिना जनता का भरोसा पाये नेतृत्व की स्थिति बनेगी भी कैसे? कांग्रेस के पास न जनता है और न संगठन। ऐसी स्थिति में सिर्फ़ व्यक्ति और उसके हितों का टकराव रह जाता है। कांग्रेस की सारी राजनीति व्यक्तिवाद पर टिकी है, जहाँ जनता और संगठन के लिए कोई समर्पण नहीं और हार के लिए कोई और ज़िम्मेदार है। कांग्रेस की समस्या ऊपर से नीचे की है। जिस कांग्रेस में कभी करो या मरो का नारा गूँजा था उसके नेता अपने व्यक्तिवाद में करने के लिए नहीं राजनीतिक रूप से मरने के लिए तैयार हैं।

20 जुलाई 2019

'जैसे ही मन्त्रिमण्डल का गठन होगा, लगेगा कि बम धमाका हो गया है।' सदन में बहस के दौरान विश्वास मत में हारे कर्नाटक के एचडी कुमारस्वामी ने सरकार बनाने जा रहे भाजपा के नेताओं को चेतावनी के लहजे में जो बात कही, उससे अन्देशा है कि 14 महीनों से चल रहा नाटक अभी ख़त्म होने वाला नहीं है। दलबदल से जनता के वोट पर जो डाका पड़ रहा है उसका इलाज क्या है? चुनाव जब एक सार्वजनिक प्रक्रिया है, पार्टी के निशान पर वोट पड़ते हैं तो फिर दल बदलने के वक़्त नेता को नागरिक के निजता का अधिकार नया सवाल उठा गया है। लोकतन्त्र के पूरे ढाँचे को ही अविश्वास में बदलने वाली इस कुरीति का इलाज क्या एक क़ानून के बदले दूसरा बनाकर हो सकता है? जब गाँधी के देश में ही 'मजबूरी का नाम महात्मा गाँधी' जैसा भद्दा जुमला लोक की ज़ुबान पर चढ़ा हो तो ऐसे दौर में राजनीतिक वैचारिकी को मज़बूत करने की बात कहता बेबाक बोल।

दलदल

'अगर बिकने पे आ जाओ तो घट जाते हैं दाम अकसर
न बिकने का इरादा हो तो क़ीमत और बढ़ती है'

14 महीने पहले ही लग गया था कि राजनीतिक अरमानों के ज़रा सा ऊपर–नीचे होते ही सूबे के स्वामी बदल जायेंगे। कल तक जो अधूरा भाषण छोड़ कर आँसू पोछते हुए विधानसभा से निकले थे, अब दोबारा शपथ ग्रहण की तैयारी में हैं। ठगी हुई सी जनता नेता रूपी अपने वोटों का इस दल से उस दल में आने–जाने का नाटक देख रही है।

'मैंने तो ईवीएम को वोट दे दिया है अब वो जिसे दे दे...', चुनावों के समय सोशल मीडिया पर जब यह चुटकुला लोकप्रिय हो रहा था तो अन्दाज़ा नहीं था कि कर्नाटक, गोवा, बंगाल, बिहार, ओड़ीशा, उत्तर प्रदेश से लेकर हिन्दुस्तान के नक़्शे पर मौजूद कई राज्यों के बहुत से नेता उस पार्टी में नहीं रह जायेंगे, जिसमें जनता ने उन्हें वोट दिया था। ईवीएम की गुणवत्ता पर जितने भी सवाल उठे हों लेकिन किसी भी दल ने ईवीएम को लेकर ऐसा विरोध–प्रदर्शन नहीं किया कि चुनाव आयोग या अन्य ज़िम्मेदार संस्थाएँ उस पर सोचने को मजबूर हो जायें। शायद इन दलों के नेता उस 'जन्नत की हक़ीक़त' जानते हैं जिसे हम लोकतन्त्र कहते हैं। इन्हें पता है कि ईवीएम की ख़राबी तो ठीक हो सकती है लेकिन सत्ता सुख भोगने की हमारी बीमारी तो लाइलाज है।

तीन दशक पहले भारत में दलबदल क़ानून लागू हुआ था। माना गया था कि इस क़ानून से राजनीतिक स्थिरता आयेगी। लेकिन इसके ढीले–ढाले प्रावधानों का लाभ उठाकर पिछले तीन दशकों में जनता के मत को बेमानी साबित किया जाता रहा है। इतने लम्बे समय में किसी भी दल ने इसमें संशोधन करने की पुरज़ोर माँग कभी नहीं की। राजीव गाँधी पर आरोप लगे

थे कि उन्होंने सत्ता पर अपना वर्चस्व कायम रखने के लिए इस क़ानून को पास कराया था, लेकिन उसके बाद क्या कांग्रेस, क्या भाजपा, सपा, बसपा या कोई स्वघोषित क्रान्तिकारी दल, किसी ने भी इसके ख़िलाफ़ बोलना शुरू नहीं किया क्योंकि सबको इसका फ़ायदा लेना था।

दलबदल पर बहस के साथ ही इस ग़लत प्रवृत्ति की शुरुआत की ग़लती के लिए भी जवाहरलाल नेहरू को ज़िम्मेदार ठहराया जा सकता है। आज़ाद भारत के दूसरे लोकसभा चुनाव में ही अखिल भारतीय स्तर पर कांग्रेस को अपनी सत्ता डोलती नज़र आयी। ख़ासकर केरल में कम्युनिस्ट पार्टी को ज़बर्दस्त सफलता मिली थी। ईलमकुलम मनक्कल संकरन नम्बूदरीपाद की सरकार को नेहरू की अगुआई वाली केन्द्र सरकार ने अनुच्छेद 356 का सहारा लेकर बर्ख़ास्त कर दिया। नम्बूदरीपाद से लेकर जम्मू कश्मीर में शेख अब्दुल्ला तक की सरकार, कांग्रेस को जब–जब अपने केन्द्रीय वजूद पर ख़तरा महसूस हुआ उसने क्षेत्रीय शक्तियों को कुचलने में कोई हिचक नहीं दिखाई। उसके बाद मोरारजी देसाई की अगुआई वाली जनता पार्टी की सरकार का भी यही हश्र हुआ। राजीव गाँधी पर तो इलज़ाम है कि वे सत्ता पर वर्चस्व रखने के लिए ही दलबदल क़ानून लेकर आये थे। राजीव के अनुवर्ती नरसिंह राव तो शिबू सोरेन के 'इधर–उधर' पर ही आश्रित रहे। उस समय हुआ सांसद रिश्वत काण्ड और झारखण्ड में शिबू सोरेन सरकार के गठन से लेकर पतन की कहानी भारतीय लोकतन्त्र का काला अध्याय है। येन–केन–प्रकारेण सरकार बनाने की राजनीतिक सम्भावनाएँ तलाशने की कुरीति ने प्राकृतिक सम्भावनाओं से भरे झारखण्ड में विकास की उम्मीदों पर ग्रहण लगा दिया। सदन में विश्वासमत की परीक्षाओं का वह दौर शुरू हुआ जिसने लोकतन्त्र के वर्तमान स्वरूप पर ही अविश्वास पैदा कर दिया। जनता से लिए मत को 'विश्वास' में बदलने के लिए नेता घोड़ा मण्डी में बिकने और ख़रीदने वाले माल सरीखे हो गये।

पचास के दशक का केरल हो, नब्बे का झारखण्ड या आज का कर्नाटक। सत्ता के लिए कुछ भी करने और मंडी में बिकने को तैयार इन नेताओं का इलाज क्या हो? माँग उठ रही है कि दलबदल क़ानून को मज़बूत किया जाये, इसकी कमियों को दूर किया जाये। तो क्या वाक़ई में एक कमज़ोर क़ानून का हल उससे मज़बूत क़ानून है? अगर क़ानून ही

हल होता तो बात पहले वाले से ही बन जानी चाहिए थी।

हर दौर में एक कहावत अपने तरीक़े से कही जाती है कि चोर चोरी करने का रास्ता निकाल ही लेता है। पहले सोने–चाँदी को दीवारों में चुनवा कर रखते थे तो चोर उसमें सेंध लगा लेते थे। फिर तिजोरी–ताले आये तो उसे तोड़ने के तरीक़े खोज लिए गये। आधुनिक लॉक को खोलना आसानी से सीख लिया तो बैंकों में सुरक्षित धन को इंटरनेट से ही हैकर उड़ाने लगे। लब्बोलुआब यह कि चोरी रोकने का हल ताला नहीं है।

कर्नाटक मामले में फ़िलहाल ताज़ा व्यवस्था यह बनाई गयी कि इस्तीफ़ा देनेवालों को सदन में मौजूद होना ज़रूरी नहीं है। यह फ़ैसला दलबदल क़ानून की उस मूल भावना के उलट है जिसमें सांसद या विधायक को सामूहिकता में देखा गया था। यह व्यवस्था हर सांसद को निजी इकाई मानती है और व्यक्ति के निजता के अधिकार की रक्षा की बात करती है। विधायक या सांसद स्वतन्त्र है, उसकी पहचान नागरिक की है। संविधान उसकी निजता की रक्षा करेगा। दलबदल क़ानून में इसी चीज़ का विरोध किया गया था।

अब स्थिति यह है कि जब आप चुनाव लड़ रहे हैं तो पार्टी आपकी पहचान है, पार्टी का नेतृत्व आपका चेहरा है। यह वह दौर है जब भारतीय चुनाव अध्यक्षीय व्यवस्था का रूप लेता जा रहा है और जनता एक केन्द्रीय चेहरे की अपील पर स्थानीय नेता चुन रही है। लेकिन जब वह जीत कर दूसरी पार्टी में जाना चाहेगा तो वहाँ उसके निजता के अधिकार की बात आ जायेगी।

दलबदल पर इन विरोधाभासी हालात के बीच हम बात फिर ताला बनाम चोरी की करते हैं। संविधान और क़ानून सत्ता चलाने वालों के हाथों में होता है। संविधान या क़ानून की किताबों में चाहे कितने भी अधिकार सुरक्षित कर दिये जायें, कितने ही कर्तव्य दर्ज कर दिये जायें लेकिन अगर उसे लागू करने वाले लोग ईमानदार नहीं होंगे तो फिर चोरी का रास्ता हर तरफ़ से खुलता है। अपने वोट पर पड़े डाके को देख जनता की तरफ़ से माँग उठ रही है कि उनके पास वोट वापसी का अधिकार होना चाहिए। एक माँग यह भी है कि दल बदलने के बाद नेताजी की विधायकी या सांसदी का तमगा कायम रहने दिया जाये, लेकिन उन्हें सदन में मत विभाजन में भागीदारी करने पर रोक लगानी चाहिए।

जब तक सामाजिक और सांस्कृतिक संस्थाएँ कमज़ोर होती रहेंगी, सत्ता के लालच में एक पार्टी के नेता पर दूसरी पार्टी का निशान चस्पा करने का तरीक़ा खोजा ही जाता रहेगा। मौजूदा दलबदल क़ानून में अहम यह नहीं है कि दलबदल करने वालों पर लगाम कैसे लगानी है, इसका मक़सद संविधान का पालन करवाना है। राजनीति में विचारधारा और नैतिकता को रौंदने वालों के ख़िलाफ़ जनता को ही उठ खड़ा होना होगा। जब तक परिवार से लेकर स्कूल और विश्वविद्यालय तक की इकाइयों में विचारधारा और नैतिकता के प्रति समर्पण मज़बूत नहीं करवाया जायेगा, तब तक संसद में लोकतन्त्र इसी तरह पलटी खाता रहेगा। जब गाँधी के देश में ही 'मजबूरी का नाम महात्मा गाँधी' वाला जुमला दोहराया जायेगा तो देश की वैचारिक विरासत कैसे बची रहेगी। वैचारिकता और नैतिकता को मज़बूती मानने का दौर शुरू किये बिना लोकतन्त्र को घोड़ा मण्डी बनने से बचाना मुश्किल है।

27 जुलाई 2019

औरतों को मज़बूत करने के किसी भी क़दम को सामन्ती मानसिकता मर्द और परिवार को कमज़ोर करने वाला क़रार देती है। फौरी तीन तलाक़ का सबसे घिनौना पक्ष यह है कि उसके बाद मर्द अगर अपनी बीवी को फिर से अपनाना भी चाहेगा तो औरत को हलाला से गुज़रना होगा। सदियों तक तीन तलाक़ और हलाला के ख़ौफ़ से गुज़रने वाली औरतों के हक़ में भारतीय संसद ने ऐसा क़ानून पास किया है कि मर्दों को अब उनकी खुद्दारी पर हमला करने में ख़ौफ़ होगा। नरेन्द्र मोदी ने अपने पहले ही कार्यकाल में फौरी तीन तलाक़ के ख़िलाफ़ मज़बूत इच्छाशक्ति दिखाई थी और इस बार ऐसा सदन प्रबन्धन किया कि तीन तलाक़ के पक्ष में बोलने वाला खुद को मुसलिम महिलाओं के ख़िलाफ़ खड़ा पा रहा था। औरत का मज़बूत होना किसी भी तरह से परिवार का कमज़ोर होना नहीं है। 'जेंडर जस्टिस' पर चल रहे बीच बहस में बेबाक बोल।

सदियों की सज़ा

शाहबानो...

'लम्हों की ख़ता सदियों की सज़ा बन जाती है', मुख्तार अब्बास नक़्वी ने राज्यसभा में इस पंक्ति से कांग्रेस को शाहबानो पर की गयी ग़लती तो याद दिला दी, लेकिन फौरी तीन तलाक को आपराधिक बनाने वाले क़ानून के ख़िलाफ़ विपक्ष के नेता कश्मीर की 'अधूरी विधवाओं' का क्या, सामूहिक भीड़ की हिंसा में मारे गये लोगों की विधवाओं का क्या, इसका क्या और उसका क्या में उलझ गये। एक समुदाय की महिलाओं के हक़ के फ़ैसले को दूसरे समुदाय के हक़ के तराजू पर तौला जाने लगा। क्या यातना और वर्जनाओं को तुला पर तुलनात्मक तौला जा सकता है? एक दर्द की पैमाइश दूसरे दर्द से की जा सकती है।

तीन तलाक की लड़ाई न तो भाजपा की है और न कांग्रेस की। इस लड़ाई की बुनियाद में हैं कमज़ोर तबके की मुसलिम महिलाएँ। आँकड़ों की बात करें तो तीन तलाक से प्रभावित होने वाली 75 फ़ीसद मुसलिम महिलाएँ कमज़ोर तबके की होती हैं। उनके दर्द को समझना हो तो गूगल की खोज इंजन पर शाहबानो लिख दीजिए। पुराने अख़बारों, पत्रिकाओं में शाहबानो के संघर्ष और उस पर राज्य द्वारा की गयी नाइन्साफ़ी को समझिए। कांग्रेस की सरकार ने जिस तरह शाहबानो पर आये फ़ैसले को पलटा था उसका सन्देश यही था कि निकाह जैसी संस्था में औरत को दोयम दर्जे पर रखना है।

शाहबानो के नाती फौरी तीन तलाक पर बने क़ानून पर कहते हैं, 'मेरी नज़र में एक अच्छी बात को ग़लत तरीक़े से पेश किया गया है। इस विधेयक में जो फ़ौजदारी अंश जोड़ा गया है, उससे इसका उसी तरह दुरुपयोग हो सकता है, जिस तरह भारतीय दण्ड विधान की धारा 498–ए

(दहेज प्रताड़ना) के ग़लत इस्तेमाल की शिकायतें हमारे सामने आती हैं।' शाहबानो की अगली पीढ़ी सहित एक बड़ा तबका इसे फ़ौजदारी बनाने का विरोध कर इसको दहेज क़ानून के दुरुपयोग के तर्क में डाल रहा है। दुनिया भर में हर क़ानून का बेजा इस्तेमाल होता है। लेकिन इस बेजा इस्तेमाल पर तवज्जो ज़्यादातर महिलाओं के लिए बने क़ानून पर ही दी जाती है चाहे वह घरेलू हिंसा, दहेज उत्पीड़न या फौरी तीन तलाक पर बना नया क़ानून हो। भारत में दहेज की कुप्रथा सदियों से चली आ रही है और इसके ख़िलाफ़ क़ानून बनाया गया। दहेज क़ानून भी शादी के अन्दर फ़ौजदारी मामला लाता है। दहेज की माँग शादी जैसी संस्था में ही की जाती है। इसके लिए लाखों लड़कियों को जला कर मार दिये जाने की बर्बरता, अन्य तरह के उत्पीड़न को रोकने के लिए ही सख़्त क़ानून लाया गया था। इसके दुरुपयोग के चन्द मामलों की तुलना में उन लाखों स्त्रियों का क्या जो ज़िन्दा जला दी गयीं या अन्य तरह के उत्पीड़न से तिल–तिल कर मरने को मजबूर कर दी गयीं। दहेज क़ानून से शादी जैसी संस्था कमज़ोर नहीं हुई, हाँ वे औरतें ज़रूर मज़बूत हुई हैं जो इस कुप्रथा की आग में जलने के बजाय क़ानूनन लड़ना पसन्द करती हैं। इसमें भी यह कुतर्क दिया जा सकता है कि पति या ससुरालवालों के जेल जाने पर औरतों और बच्चों की परवरिश कौन करेगा? औरत और बच्चों की परवरिश के नाम पर क्या औरतों को जलाने की छूट मिलती रहनी चाहिए? जो औरत क़ानून के ज़रिये लड़ सकती है वह अपनी मेहनत से कमा कर अपना और अपने बच्चों का पेट भी भर सकती है।

आम तौर पर पुरुष तलाक तभी देता है जब उसे दूसरा निकाह करना होता है। महज़ तीन बार तलाक बोल कर वह नयी दुनिया बसाने को आज़ाद है लेकिन औरतों के सामने इन्सानियत को शर्मसार करने वाली हलाला कुप्रथा भी है। मर्द फौरी तीन तलाक बोलने के बाद अगर बीवी के पास फिर लौटना चाहेगा तब औरत को हलाला पर हलाल होना ही होगा। सदियों तक हलाला के ख़ौफ़ में जीने वाली औरतें आज मर्द को क़ानून का ख़ौफ़ दे सकती हैं तो इसमें नाइन्साफ़ी कहाँ है। कई विद्वान और क़ानूनविद् यही तर्क दे रहे कि मर्द जेल चला जायेगा तो औरतों का गुजारा कैसे चलेगा। इस आधार पर अहम यह है कि कोई औरत पुलिस में शिकायत तो तब ही दर्ज करायेगी जब उसे इस बात का

भरोसा हो कि वह अपना भरण–पोषण ख़ुद कर लेगी। यहाँ पर परिवार की भी बात है। इस जुल्म के ख़िलाफ़ आवाज़ उठाने पर उसे मायके या अन्य परिजनों का भी तो साथ मिल सकता है। औरत के वजूद को, उसके भरण–पोषण को सिर्फ़ शौहर की कमाई से जोड़ने वाले ज़रा अपने आसपास खेतों–खलिहानों, निर्माण–स्थलों, कारख़ानों में नज़र डाल दें तो पता चल जायेगा कि परिवार के गुजर–बसर में महिलाओं की कमाई का कितना योगदान रहता है। ये लोग उस मध्यकालीन ज़माने की बात कर रहे हैं जहाँ औरतें रसोई तक सीमित थीं। यह औरत को तय करने दीजिए कि वह हलाला के बरअक्स अपनी ख़ुद्दारी चुने या शौहर की कमाई।

कई लोगों ने आश्चर्यजनक ढंग से तर्क दिया कि तीन तलाक आपराधिक बनेगा तो शौहर तलाक देने के बजाय बीवी पर जुल्मो–सितम बढ़ा देगा। यह तर्क देकर आप भारतीय समाज और क़ानून को जंगल राज के रूप में ही देखते हैं। तो क्या बीवी पर अत्याचार करने वाला शौहर घरेलू हिंसा क़ानून के दायरे में नहीं आयेगा? संसद और क़ानून द्वारा औरतों को मिले हर हक़ को सबसे पहले परिवार पर ही ख़तरा बताया जाता है। औरतों को मज़बूत करने की कोशिश को मर्दों के ख़िलाफ़ मान लिया जाता है।

राम रहीम जैसा कद्दावर चरित्र जिसे सत्ता का भी संरक्षण प्राप्त था, उसे अदालत ने बलात्कार के मामले में दोषी क़रार दिया तो पूरी दुनिया उन दो साध्वियों के हौसले से ताज्जुब में थी जिसने कथित सर्वशक्तिमान के ख़िलाफ़ आवाज़ उठाई थी। तीन तलाक के मामले में सत्ताधारी पार्टी उन महिलाओं के साथ खड़ी भर हुई जो इसके लिए तीन दशकों से लड़ रही थीं। लड़ाई में साथ देकर निर्णायक मोड़ पर लाने वाले विजेता की श्रेणी में ही आ जाते हैं। नेता को पता है कि उसकी मज़बूती जनता में है। प्रधानमन्त्री नरेन्द्र मोदी ने अपने पहले कार्यकाल में ही फौरी तीन तलाक के ख़ात्मे को लेकर प्रतिबद्धता दिखाई थी। लाल क़िले से दिये अपने भाषण में भी इसे प्रमुखता से रखा। जहाँ राजनीतिक विश्लेषक इसे ध्रुवीकरण का मामला बताने में जुटे थे उसके उलट नरेन्द्र मोदी ने इसे सामाजिक न्याय का स्वरूप देने में कामयाबी पायी। इस मसले पर सदन प्रबन्धन भी ऐसा रहा कि अन्य दलों को अहसास हो गया कि तीन तलाक के पक्ष में खड़े होने का मतलब औरतों के ख़िलाफ़ खड़े होना है।

फौरी तीन तलाक पर क़ानून के ज़रिये नरेन्द्र मोदी सरकार ने साबित किया कि मज़बूत सरकार के क्या मायने होते हैं। हज सबसिडी से लेकर इस ताज़ा विधेयक तक में भाजपा को चेताया जाता रहा कि पूरा मुसलिम वोट बैंक उसके ख़िलाफ़ हो जायेगा। लेकिन अब दिख रहा है कि हज पर सबसिडी ख़त्म होने के बाद हाजियों की संख्या बढ़ी है और गिने–चुने लोगों को छोड़कर आम मुसलिम तबके ने इसका ज़रा भी विरोध नहीं किया। किसी महिला हाजी के साथ पुरुषों के जाने की अनिवार्यता भी ख़त्म की गयी। मज़े की बात यह है कि सऊदी अरब के समाज में ऐसी कोई परम्परा नहीं है कि औरत किसी मर्द के साथ ही हज पर जाये। यह यहाँ के मजहबी उस्तादों का जोड़ा हुआ पुछल्ला था।

दुनिया के ज़्यादातर देश बहुत पहले ही अपने यहाँ फौरी तीन तलाक को समाप्त कर चुके हैं लेकिन आश्चर्यजनक ढंग से कई विद्वान औरत को तोड़ने वाली इस कुप्रथा को परिवार को जोड़ने वाला बता रहे हैं। इस 'जेंडर जस्टिस' में भाजपा आगे निकली क्योंकि उसने वोट बैंक के बिगाड़ के डर से औरतों के हक़ पर ईमान की बात नहीं छोड़ी। इंटरनेट पर जाकर संसद में तीन तलाक पर हुई बहस को गौर से सुनें। यह बहस भारत के सामाजिक इतिहास में अहम रहेगी, और आगे की तारीख़ों में एक बार फिर साबित होगा कि बदलाव का साथ देने वाले ही तारीख़ी होते हैं।

'सब ने पढ़ रक्खा था सच की जीत होती है मगर
था भरोसा किस को सच पर सच को सच कहता तो कौन'

3 अगस्त 2019

इमरान ख़ान अपना कार्यकाल सँभालने के एक साल के अन्दर एक अगम्भीर राजनेता के तौर पर साबित हो चुके हैं। भारत सरकार के कश्मीर से अनुच्छेद 370 ख़त्म करने के बाद उन्होंने पाकिस्तान की जश्न–ए–आज़ादी को कश्मीर एकजुटता दिवस के नाम कर दिया और उस ख़ास दिन पाक प्रशासित कश्मीर की राजधानी मुजफ़्फ़राबाद की प्रान्तीय संसद में भाषण दिया। अपने भाषण में उन्होंने नरेन्द्र मोदी पर जिस तरह व्यक्तिगत हमले किये, भारत के धार्मिक समुदायों से लेकर मीडिया और जजों की चिन्ता की उससे ऐसा लगा कि उन्हें अगला आम चुनाव भारत में लड़ना है। अनुच्छेद 370 ख़त्म होने जैसे भारत के घरेलू मामले पर इमरान ख़ान का इतना परेशान होना इस बात का सबूत है कि उनकी राजनीति की रोटी कश्मीर की आग से ही पकती है। कश्मीरियों की चिन्ता के पीछे छुपे इमरान ख़ान के पाखण्ड पर बेबाक बोल।

नापाक इरादे

'जब हमने तिरानबे हज़ार फ़ौजियों को छोड़ा तब हमने कागज़ पर लिखवा लिया था कि अब जितने भी हमारे–आपके मसले हैं, वे अन्तरराष्ट्रीय नहीं हैं। अब वे द्विपक्षीय हैं। उनके प्रधानमन्त्री ने उस पर दस्तख़त किये थे। यह तो कतई हो नहीं सकता कि जिस दिन आपको तिरानबे हज़ार क़ैदी छुड़वाने हैं, उस दिन आप इसे द्विपक्षीय मान लीजिए और जिस दिन आप उस स्थिति से बाहर निकल जाइए, उस दिन उसे अन्तरराष्ट्रीय क़रार दे दीजिए। यह कैसे हो सकता है?'

आरिफ़ मोहम्मद ख़ान कश्मीर मसले को संयुक्त राष्ट्र से लेकर अमेरिका और मुसलिम देशों में ले जाने पर इमरान ख़ान को बांग्लादेश के गठन का आईना दिखाते हैं। बांग्लादेश की मुक्ति के लिए भारत–पाक युद्ध में जब पाकिस्तान को भारी नुक़सान उठाना पड़ा था और उसके 93 हज़ार फ़ौजी भारत के क़ब्जे में थे, तब उसने इसे आराम से द्विपक्षीय मसला माना था। आज कश्मीर में अनुच्छेद 370 ख़त्म हो जाने के बाद वह भारत के घरेलू मसले का अन्तरराष्ट्रीयकरण करने में जुटा है। मुसलमान अस्मिता का कार्ड तो अरब, ईरान, तुर्की जैसे मुसलिम देशों के साथ संयुक्त अरब अमीरात ने ही ख़ारिज कर दिया। दुनिया के बाक़ी देशों का इतिहास रहा है कि वे कश्मीर मुद्दे को मिल–बैठ कर ही सुलझाने की बात करते रहे हैं।

जब पाकिस्तान की अर्थव्यवस्था की कमर टूटी हुई है, वह विदेशी क़र्ज़े में डूबता जा रहा है, तब वहाँ के वज़ीर–ए–आज़म देश की आज़ादी के दिन को 'कश्मीर एकजुटता दिवस' के नाम कर देते हैं। इस ख़ास दिन वे पाकिस्तान अधिकृत कश्मीर की राजधानी मुजफ़्फ़राबाद पहुँच जाते हैं। प्रान्तीय संसद का विशेष सत्र बुलाते हैं और भारत को सबक

सिखाने की धमकी देते हैं। इमरान ख़ान ने मुजफ़्फ़राबाद में कहा, 'नरेन्द्र मोदी ने जो आख़िरी कार्ड खेला है, वह मोदी और बीजेपी को बहुत भारी पड़ेगा।' इमरान ख़ान पाकिस्तान के ऐसे वज़ीर–ए–आज़म हैं जिनको अपने देश के ही बारे में क्रिकेट के मैदान से भी कम जानकारी है। शायद उन्होंने कभी इतिहास के पन्नों पर नज़र डालने की जहमत नहीं उठाई कि 1970 के दशक में ही पाकिस्तान सरकार ने गिलगित–बाल्टिस्तान में राज्य विषय नियम को ख़त्म कर वहाँ के शिया बहुल बसावट को बदलने की मुहिम शुरू कर दी थी। आरोप है कि इलाके में चीन को फ़ायदा पहुँचाने की कोशिश की जाती रही है। यह पूरा इलाका पाकिस्तानी फ़ौज के वर्चस्व और बुनियादी अधिकारों व बुनियादी संसाधनों के अभाव से जूझता रहा है। यहाँ मानवाधिकारों के उल्लंघन की जो ख़बरें आती हैं, इमरान उन पर ध्यान देंगे तो उन्हें कश्मीर के बारे में सोचने की फ़ुर्सत ही नहीं मिलेगी।

जब श्रीमान ख़ान प्रान्तीय संसद में कश्मीर की आज़ादी की बात कर रहे थे उसी वक़्त पाकिस्तान के स्वतन्त्रता दिवस पर बलूचिस्तान में आज़ादी के नारे लग रहे थे और पाक हुकूमत को याद दिलाया जा रहा था कि कैसे बलूचों की इच्छा के ख़िलाफ़ उन्हें पाकिस्तान में विलय के लिए मजबूर किया गया और उनकी सभ्यता–संस्कृति को तबाह करने की हर सम्भव कोशिश की जा रही है। पाकिस्तान की जश्न–ए–आज़ादी को कश्मीर से जोड़ने का मुँहतोड़ जवाब उसे अपने घर में ही मिल गया। ट्विटर पर 'बलूचिस्तान सॉलिडिरिटी डे', 'बलूचिस्तान इज़ नॉट पाकिस्तान' और 'बलूचिस्तान एकता दिवस' ट्रेंड कर रहा था। बलूचिस्तान की आज़ादी को लेकर पाकिस्तान में प्रदर्शन तो लन्दन में सम्मेलन हो रहे थे। अपने देश में इन विडम्बनाओं के बीच अगर इमरान ख़ान को कश्मीर से अनुच्छेद 370 हटने की फ़िक्र है और वतन की जश्न–ए–आज़ादी को कश्मीर की आज़ादी से जोड़ देते हैं तो इसे पाखण्ड की पराकाष्ठा ही कहा जा सकता है।

पाकिस्तान के जनक मोहम्मद अली जिन्ना दावा किया करते थे कि पाकिस्तान उनकी जेब में है। जिन्ना की इस ग़लतफ़हमी को पाक के आज तक के हुक्मरान विरासत की तरह ढोते रहे हैं। उन्हें लगता है कि जब तक वे अपनी जेब में कश्मीर रखेंगे तब तक पाकिस्तान की जनता

उनसे नहीं पूछेगी कि उनकी जेब में पैसे क्यों नहीं हैं और सरकारी ख़ज़ाना खाली क्यों पड़ा है। वो यह नहीं पूछेगी कि हमारे कारख़ाने की चिमनियाँ ठण्डी पड़ी हैं तो कश्मीर के लिए आग क्यों उगला जा रहा है। वह यह नहीं पूछेगी कि हमारे बच्चों के लिए कायदे के स्कूल नहीं हैं, लेकिन आतंकवाद के पोषक नेताओं के बच्चे विदेशों में क्यों पढ़ रहे हैं। लेकिन एक समय आता है जब जनता जाग जाती है और हुकूमत से सवाल करती है। पाकिस्तान में अभी वह समय आ चुका है। वहाँ का मध्यवर्गीय तबका कश्मीर राग से ऊब चुका है और अपने देश के घरेलू मसलात पर बात करना चाहता है। वह चाहता है कि पहले देश में रोज़ी–रोटी, स्कूल और अस्पताल की बात हो। पिछले कुछ समय से मुसलमान–मुसलमान और कश्मीर–कश्मीर का जाप करते इमरान की दैहिक भाषा बता रही है कि हालात उनके क़ाबू से बाहर जा चुके हैं।

वैसे, इमरान ख़ान ने एक बात सही ही कही कि नरेन्द्र मोदी कश्मीर पर अपना तुरुप का पत्ता खेल चुके हैं। इमरान ख़ान जैसे अपरिपक्व राजनीतिज्ञ से सही भाषा की उम्मीद तो बेमानी है और कश्मीर ताश के खेल का कोई पत्ता नहीं भारत की सभ्यता और संस्कृति का धड़कता हिस्सा है। हाँ, कश्मीर में भारत सरकार के अनुच्छेद 370 ख़त्म करने जैसा मज़बूत फ़ैसले के बाद उम्मीद की रोशनी में यही दिखता है कि वो दिन जल्द आयेगा जब पाकिस्तान के हुक्मरान कश्मीर को अपनी जेब में रखने की सोच भी नहीं पायेंगे। इमरान ख़ान ने अपने कार्यकाल की पहली जश्न–ए–आज़ादी कश्मीर की एकजुटता के नाम तो रख दी, लेकिन हम यह नहीं कह सकते कि कश्मीर मसले पर मुँह की खाने और पाकिस्तानी अर्थव्यवस्था को रसातल में पहुँचाने के 'जुर्म' में वे वज़ीर–ए–आज़म के रूप में पाकिस्तान की अगली यौम–ए–पैदाइश देख भी पायेंगे या नहीं।

मुजफ़्फ़राबाद में जब इमरान ख़ान भारत में मीडिया से लेकर नाजी और हिटलर की बात कर रहे थे, तो शायद अपने देश की जेलों को भूल गये थे। पाकिस्तान में जम्हूरियत के चेहरे के रूप में चमकने वाले सारे लोग विपक्ष में आते ही जेल की सलाखों के पीछे हैं। वहाँ पूर्व प्रधानमन्त्री से लेकर पूर्व राष्ट्रपति तक की क्या हालत है वह दुनिया देख रही है। वो इन्सान जिसने इस अन्धविश्वास में एक धर्मगुरु से शादी रचाई कि उसे राजगद्दी मिले, वह भारत में धर्मनिरपेक्षता की फ़िक्र कर रहा है। भारत

के कांग्रेसी से लेकर समाजवादी और वामपन्थी नेता से लेकर पूरा विपक्ष इमरान का भाषण सुनकर घबरा गया होगा कि हमें यूँ ही पाकिस्तान भेजने का फ़तवा जारी नहीं कर दिया जाता है, इमरान साहब तो वो बोल रहे जो हम अपनी संसद में बोलते हैं।

किसी भी देश और समाज में एक समय संक्रमण काल का आता है। कश्मीर मसले को लेकर भारत उसी संक्रमण काल से गुज़र रहा है। अभी तो भारत ने कश्मीर पर ही फ़ैसला किया है जो नितान्त उसका घरेलू मामला है। लेकिन भारत की सम्प्रभुता को परे रख इमरान ख़ान जिस तरह बेतुके भाषण दे रहे हैं उससे साबित होता है कि हमारे देश में यह समय धैर्य और ज़िम्मेदारी की माँग करता है। देश में हर्ष से लेकर आशंकाओं का मिलाजुला भाव है और हर कोई एक बेहतर कल की उम्मीद में है। कल क्या होगा, यह कोई नहीं कह सकता। लेकिन यह समय न तो राजनीतिक टिप्पणीकारों की भविष्यवाणियों का है और न किसी भी तरह की तात्कालिक ग़ैरज़िम्मेदार प्रतिक्रिया देने का। यह समय भारत की 130 करोड़ जनता का है। कश्मीर को वर्जनाओं से आज़ादी मिले इसकी कामना हम सब कर रहे हैं।

17 अगस्त 2019

दिल्ली की आम आदमी पार्टी की सरकार ने न्यूनतम मज़दूरी दर में इज़ाफ़ा किया तो उसका असर राष्ट्रीय राजधानी क्षेत्र के कुछ कारख़ानों में तालाबन्दी के रूप में देखा गया। कारख़ानों को दिल्ली से हटाकर उन राज्यों में ले जाने की कोशिश हुई जहाँ न्यूनतम मज़दूरी कम हो। पूँजीवादी व्यवस्था में मुनाफ़े की कमी को मन्दी नाम दिया जाता है। अचानक ही कहीं से लाखों तो कहीं से हज़ारों नौकरियों की छंटनी की ख़बरें आने लगी हैं। औद्योगिक घराने मन्दी को वजह बताकर छँटनी की बात कर रहे। नीति आयोग के उपाध्यक्ष कह रहे हैं कि निजी क्षेत्र में कोई भी दूसरे पर भरोसा नहीं कर रहा है, कोई किसी को क़र्ज़ देने को तैयार नहीं है। उनका कहना है कि पिछले 70 सालों में ऐसे हालात नहीं देखे। कड़े राजनीतिक फ़ैसले लेने के बाद अर्थव्यवस्था में सुधार की ओर बढ़ रही सरकार की परीक्षा की इस घड़ी पर बेबाक बोल।

ग़म रोज़गार के

दोनों जहान तेरी मोहब्बत में हार के
वो जा रहा है कोई शब–ए–ग़म गुज़ार के
दुनिया ने तेरी याद से बेगाना कर दिया
तुझसे भी दिलफ़रेब हैं ग़म रोज़गार के'

फ़ैज़ अहमद फ़ैज़ के अशआर की ख़ासियत यह है कि वे महबूब की बातें करते हुए आपका रिश्ता वतन के तल्ख हालात से जोड़ देते हैं। ठीक वैसे ही जैसे मन्दिर और कश्मीर का जाप करते हुए किसी को लग सकता है कि भूखे भजन न होय गोपाला। अभी जब देश राष्ट्रवाद पर भावनात्मक रूप से परिपूर्ण है, सरकार कश्मीर पर मज़बूत फ़ैसला करने की बात कहकर अब पाकिस्तान अधिकृत कश्मीर को वापस लाने का दावा कर रही है, परमाणु हथियारों के पहले इस्तेमाल नहीं पर नीति बदलने का विचार पेश कर रही है तभी मन्दिर और पाकिस्तान के बीच बेरोज़गारी और मन्दी का भी शोर उठ गया है।

मन्दी की बात करने से पहले फ़ैज़ का सहारा इसलिए कि बाज़ार रुमानियत के भाव से निकलकर अचानक बेरोज़गारी से सना ख़ूनी पैरहन दिखा रहा है। बेरोज़गारी के इस हल्ले में आवाज़ किनकी ऊँची हो रही है? क्या इन आवाज़ों के अलगाव की कोई ज़रूरत महसूस की जा रही है? अर्थव्यवस्था की चिन्ता का जो एकाश्मक पहाड़ बन रहा है उसे अलग–अलग क्षेत्रों में बिखराकर देखा जा रहा है या नहीं?

अन्तरराष्ट्रीय मन्दी का रुख़ जिसे भारत में पहुँचना ही था, उसे हमारा घरेलू बाज़ार कैसे ले रहा है, इस पर बात करनी ही होगी। मन्दी के बहुत से कारक राष्ट्रीय भी होते हैं और उसका मुक़ाबला भी घरेलू तरीक़ों से ही किया जाता है। सरकार और बाज़ार को जनता के पैसे

से ही चलना होता है। तो अभी नौकरी और मन्दी के हंगामे में किसकी चिन्ता बाज़ी मार रही है? नौकरी खोने वालों की या नौकरी देने वालों की? ज़रूरत से कम वेतन पाने वालों की या कर्मचारियों के ज़्यादा वेतन को अपना घाटा मानने वालों की? दोनों के हित एक क्यों नहीं हैं?

मन्दी का दौर नब्बे के दशक में भी आया था, उसके बाद भी आया और आज भी हमारे सामने है। वैश्विक बाज़ार का मन्दी से एक ख़ास नाता जुड़ चुका है। धूम से लेकर धूल चाटने तक के बाज़ार के चक्र को कई अर्थशास्त्री बहुत अच्छे से समझा चुके हैं। फ़िलहाल, यहाँ बात राष्ट्रीय राजधानी क्षेत्र दिल्ली की। कुछ दिन पहले राष्ट्रीय राजधानी क्षेत्र में ओखला के औद्योगिक इलाके से एक कारख़ाने का सामान रातों–रात उठाकर उसे बन्द करने की तैयारी हो रही थी। मज़दूर संगठनों के कार्यकर्ताओं को पता चला तो वहाँ पहुँचे और कारख़ाना बन्द करने की प्रक्रिया का विरोध शुरू हुआ। उस वक़्त तो कारख़ाना बन्दी का काम रोक दिया गया। लेकिन पता चला कि कारख़ाने को वहाँ फिर से बन्द किया जा रहा है। अहम बात यह है कि कारख़ाने को स्थानान्तरित कर गुरुग्राम ले जाने की तैयारी की जा रही थी।

कारख़ाने को दिल्ली से गुरुग्राम ले जाने की वजह बना था दिल्ली सरकार का न्यूनतम मज़दूरी को ज़्यादा करने का फ़ैसला। न्यूनतम मज़दूरी बढ़ाने के फ़ैसले को कारख़ाना मालिक अपने मुनाफ़े के ख़िलाफ़ मानते हैं। मज़दूरी बढ़ाने का मतलब है कारख़ाना मालिकों का मुनाफ़ा घटना। इसलिए वे कारख़ाने को ऐसे राज्य में ले जाना चाहते हैं जहाँ न्यूनतम मज़दूरी दिल्ली से कम हो। आज के दौर में इस ख़बर को ऐसे ही देखा जायेगा कि कारख़ाना बन्द हो रहा है और नौकरी जा रही है। लेकिन हक़ीक़त यह है कि कारख़ाने को इसलिए दूसरी जगह ले जाया जा रहा है क्योंकि कम तनख़्वाह में नौकरी करने वाले मिल जायें। पूँजीवाद के दौर में मुनाफ़ा कम होने को घाटे के तौर पर देखा जाता है, और इसे मन्दी का नाम दिया जाता है। दिल्ली सरकार ने मज़दूरों को राहत देने का जो फ़ैसला किया वह मालिकों के मुनाफ़े के ख़िलाफ़ चला गया। दिल्ली में न्यूनतम मज़दूरी बढ़ाने के साथ ही यहाँ मज़दूरों के लिए कारख़ाने के दरवाज़े बन्द होने शुरू हो गये तो हम लोक–कल्याणकारी राज्य की ओर क़दम बढ़ाने की दिक़्क़तें समझ सकते हैं।

मीडिया के पाठ्यक्रम में इस तथ्य को अहम पाठ के रूप में पढ़ाया जा सकता है कि पूँजीपति संगठन अपने क्षेत्र की मन्दी के बारे में पूरे पृष्ठ का विज्ञापन दे रहे हैं। जो टीवी चैनल पूरे कारोबारी भावना से चलते हैं, शेयर बाज़ार की उठा–पठक से जिनके हित प्रभावित होते हैं वे अचानक से बेरोज़गारी और मन्दी की बात करने लगे हैं। हर क्षेत्र के पूँजीपति संगठन कह रहे हैं कि हम बर्बाद हो रहे हैं। ये वही लोग हैं जिन्हें कुछ समय पहले अलग–अलग तरह का बेल आउट पैकेज मिला था और जिन्होंने सरकार को पूरा समर्थन दिया था।

अचानक से मन्दी और बेरोज़गारी की ख़बरों की भरमार को कैसे देखा जाये? मन्दी के विज्ञापन से लेकर ख़बरों तक का परिदृश्य क्या है? महँगाई बढ़ने के साथ कर्मचारियों की तरफ़ से बेहतर तनख़्वाह की माँग उठ रही थी और पक्ष से लेकर विपक्ष तक के श्रम संगठन इसे नज़रअन्दाज़ नहीं कर सकते थे। सरकारी पक्षकार इस बात का भरोसा दिला रहे थे कि दूसरी बार मज़बूती से आने और कड़े राजनीतिक फ़ैसलों पर जीत हासिल कर लेने के बाद केन्द्र सरकार का पूरा ध्यान अर्थव्यवस्था की तरफ़ ही होगा।

अर्थव्यवस्था की तरफ़ सरकार के क़दम उठाते ही बाज़ार में अफरातफरी का दौर शुरू हो गया है। बात थी कमज़ोर तबकों, किसानों, कामगारों को राहत देने की। दो बार पूर्ण बहुमत से आयी सरकार इतने बड़े तबके की उम्मीदों को ख़ारिज भी नहीं कर सकती है। अब सरकार पर दोनों तरफ़ से दबाव बन रहा है। नौकरियाँ कम और वेतन कम होने के ऊपर मुनाफा कम होना भारी पड़ता जा रहा है। बेल आउट से लेकर श्रम क़ानूनों तक के ज़रिये पूँजीपति वर्ग अपना मुनाफ़ा बढ़ाना चाह रहा है। यह तो दिख ही रहा था कि जनता की ख़रीद क्षमता पर असर पड़ रहा है और माहौल मन्दी की ओर जा रहा है। लेकिन सरकार पर जिस तरह से दबाव पड़ रहा है वह उसके लिए एक परीक्षा की घड़ी है। पूँजीपतियों के मुनाफ़े और कामगारों के हित के बीच लोक–कल्याण ।कारी फ़ैसले करना आसान नहीं होता है। मन्दी के कारण मुनाफ़े में जो कमी आयी है, उसे अगर यहाँ या वहाँ से पूरा किया जाये तो वह अर्थव्यवस्था को सतत विकास का रास्ता दे पायेगा या नहीं यह भी देखने की बात है।

बढ़ी हुई न्यनूतम मज़दूरी का परिणाम है कारख़ाना बन्दी। बन्दी–मन्दी, मालिक–मज़दूर, मुनाफ़ा–घाटे के बीच से किसी भी सरकार के लिए रास्ता निकालना चुनौतीपूर्ण रहा है। निजी आयकर, विभिन्न तरह के कर, जीएसटी और राज्य के करों से कारोबारी परेशान थे। सरकार कारोबारियों के हाथ मज़बूत करती है तो वे अपने मुनाफे से कामागारों की हिस्सेदारी बढ़ाने को तैयार नहीं होते हैं। मौजूदा अर्थव्यवस्था का हाल यह है कि राज्य यानी सरकार के पास अपना पैसा नहीं होता। उसे इसकी जेब से लेकर उसकी जेब में देना या इसकी टोपी उसके सिर पर पहनानी होती है। सरकार को इन्हीं के बीच एक मध्यमार्ग भी निकालना है। देखना यह है कि रास्ता निकालने से पहले औद्योगिक मालिकान के दबाव का जो गति अवरोधक सामने रख दिया गया है उससे सरकार कैसे निपटेगी जिसे पाँच साल बाद फिर जनता के पास जाना है।

23 अगस्त 2019

2014 के आम चुनावों के बाद सबसे ज़्यादा बहस विकल्प पर हुई थी। ख़ासकर भारतीय राष्ट्रीय कांग्रेस से उम्मीद की गयी थी कि वह अपने सामन्ती ढाँचे से निकल खुद को फिर से खड़ा करेगी। लेकिन कांग्रेस में महापरिवर्तन की उम्मीदों की बयार तभी थम सी गयी जब लोकसभा चुनावों में राहुल गाँधी के इस्तीफ़े के बाद एक क़दम पीछे जाकर उनकी माता को पार्टी की कमान सौंपी गयी। हरियाणा जैसे राज्य में जब भाजपा के नेता अबकी बार पचहत्तर पार का नारा लगा रहे थे तो हुड्डा की हुंकार आयी कि मैं नहीं तो पार्टी नहीं और उनके सामने समर्पण करते हुए गुलाम नबी आज़ाद कहते हैं कि आपकी सेवानिवृत्ति के बाद आपके पुत्र का समय आयेगा। भाजपा की नयी राजनीति की परिभाषा लिखने के दौर में कांग्रेस अपने सामन्ती मलबे के ढेर से उठना ही नहीं चाहती है। विकल्प से लेकर विकल्पहीनता तक पहुँची इस बहस पर बेबाक बोल।

ऐसे कैसे चलेगा

पहले युवाओं को तरजीह देने, सब कुछ बदल देने की बात करते हैं फिर अशोक गहलोत, कमलनाथ और भूपेन्द्र सिंह हुड्डा के आगे समर्पण कर देते हैं। जब राहुल गाँधी को कांग्रेस का राष्ट्रीय अध्यक्ष बनाना था तो युवा–युवा की राष्ट्रीय धुन बजाई गयी थी, मानो देश में सब कुछ युवाओं को सौंप दिया जायेगा। वहीं जब राज्यसभा में सदस्य भेजने की बात आयी तो उन्हीं मनमोहन सिंह को चुना गया जिनकी उदारवादी आर्थिक नीतियों को लेकर जनता अनुदार हो गयी। जिन आर्थिक नीतियों के ख़िलाफ़ राहुल गाँधी लोकसभा चुनाव के मैदान में गरज रहे थे उसी के अगुआ को उस समय कांग्रेस का प्रतिनिधि बनाया गया जब भारतीय जनता पार्टी ने भारतीय राजनीति की परिभाषा बदल डाली है। लोकसभा चुनाव में करारी हार के बाद राहुल गाँधी ने अपने परिवार के इतर कांग्रेस अध्यक्ष ढूँढ़ने की शर्त लगा पद छोड़ दिया। लेकिन लम्बी क़वायद के बाद एक क़दम पीछे जाकर पुत्र की जगह माता को पार्टी की कमान दे दी गयी। तो ऐसे कैसे चलेगा भारतीय राष्ट्रीय कांग्रेस!

विरोधाभासों पर व्यंग्य कसने के लिए सोशल मीडिया पर 'ऐसे कैसे चलेगा' का जो संक्रमण फैला था, उसे अगर कांग्रेस पर लागू किया जाये तो व्यंग्य की कड़ियाँ ख़त्म होने का नाम ही नहीं लेंगी। इसी स्तम्भ में एक बार हमने लिखा था कि कांग्रेस उन सभी राजनीतिक टिप्पणीकारों को शर्मिन्दा होने पर मजबूर कर देती है जो कांग्रेस के फिर से जी उठने की उम्मीदें जगाते हैं। जो कहते हैं कि भारतीय लोकतन्त्र के लिए देश की 134 साल पुरानी कांग्रेस पार्टी का उठ खड़ा होना ज़रूरी है। 2019 के लोकसभा चुनावों के बाद जिन राज्यों में अहम चुनाव हैं वहाँ कांग्रेस नेतृत्व की कमज़ोरी देख यक़ीन हो गया है कि सामन्ती मलबे के ढेर पर खड़ी यह पार्टी नयी बुनियाद रखना ही नहीं चाह रही है।

2019 के चुनावों के पहले भी हिन्दी प्रदेश के तीन राज्यों के चुनाव को सेमीफाइनल माना गया था। मध्य प्रदेश, छत्तीसगढ़ और राजस्थान के विधानसभा चुनावों में कांग्रेस को उम्मीद की तरह देखा गया था कि इन राज्यों में जीत के बाद पार्टी भाजपा के सामने कड़ी चुनौती पेश करेगी। लेकिन इन राज्यों में जीत के बाद कांग्रेस गहलोत और कमलनाथ के सामन्ती चेहरों से आगे बढ़ ही नहीं पायी। राजस्थान में चुनाव जीतने में पार्टी ने जितनी मेहनत नहीं की थी उससे ज़्यादा मेहनत वहाँ के मुख्यमन्त्री को चुनने में लगी और उसके बाद एक बगल गहलोत, एक बगल पायलट और बीच में राहुल वाली कांग्रेस की जो सवारी निकली उसे देखकर ही लग गया था कि पार्टी ने कोई सबक नहीं सीखा है। जिस मध्य प्रदेश में जनान्दोलनों की वजह से भाजपा सत्ता से बेदखल हुई थी वहाँ कमलनाथ जैसे दिल्ली से पैराशूट से उतरे हुए चेहरे को चुना गया। राहुल गाँधी ने बेबसी में बताया कि मुख्यमन्त्री अपने बेटों को जिताने में लगे रहे और बुजुर्ग मुख्यमन्त्री कानों में रुई डाल कर कहते रहे कि राहुल तुम अध्यक्ष बने रहो, हम तुम्हारे साथ हैं।

2019 के बाद फिर से विधानसभा चुनाव हैं और इस बार सेमीफाइनल तो छोड़िए कांग्रेस की हालत देख उसे क्वालिफाइंग के लायक भी नहीं माना जा रहा है। जिस हरियाणा में विपक्ष को पूरी तरह से सरकार के ख़िलाफ़ हल्ला बोल करना था वहाँ कांग्रेसियों ने एक–दूसरे की जड़ें खोदने का कीर्तिमान कायम कर लिया। नब्बे विधानसभा सीटों वाले राज्य में भाजपा कह रही है, अब की बार पचहत्तर पार। यह नारा लगाते वक़्त भाजपा ने कुछ नरमी बरती थी कि कम–से–कम पन्द्रह सीटें तो विपक्ष को जीतनी ही चाहिए। लेकिन भाजपा को क्या पता था कि विपक्ष कहेगा कि अब की बार 72 पार, सीट को लेकर नहीं भूपेन्द्र सिंह हुड्डा की अगुआई को लेकर।

हरियाणा के रोहतक में हुड्डा की रैली ने पूरे देश को सन्देश दिया कि यह कांग्रेस नेतृत्व पर दबाव बनाने के लिए है और नेतृत्व ने बुजुर्ग नेता की सभी शर्त मानकर सन्देश दे दिया कि देश की सबसे पुरानी पार्टी नया कुछ सीखने को तैयार नहीं है। अशोक तंवर को प्रदेश अध्यक्ष पद से हटाने की उनकी माँग के साथ ही हुड्डा को मुख्यमन्त्री पद के चेहरे के तौर पर भी पेश कर दिया गया।

रोहतक रैली में हुड्डा ने अनुच्छेद 370 पर केन्द्र सरकार का पक्ष लेते हुए कहा, 'अब कांग्रेस पहले जैसी नहीं रही।' लेकिन इस रैली के बाद पार्टी जिस तरह से उनके सामने दण्डवत हुई उसे देखकर तो यही लगता है कि कांग्रेस बिल्कुल पहले जैसी है। सोनिया गाँधी की कमान में हुड्डा का तुष्टीकरण कर उनके सन्देशवाहक गुलाम नबी आज़ाद ने चण्डीगढ़ में कहा, 'अगली बार मैं और भूपेन्द्र सिंह हुड्डा सम्भवतः राजनीति से रिटायर हो जायेंगे। अगला समय दीपेन्द्र हुड्डा और कुमारी शैलजा का होगा...।' वंशवाद पर इतनी लानत–मलानत के बाद भी गुलाम नबी आज़ाद हुड्डा के वंशज से आगे नहीं बढ़ पाये। अगली बार यानी पाँच साल बाद या ताज़ा चुनावों में ही कांग्रेस पार्टी की क्या हालत होगी यह सोचा होता तो आज़ाद साहब अभी से ही हुड्डा के पुत्र की ताजपोशी नहीं कर बैठते।

हरियाणा में हुड्डा के दबाव में कांग्रेस 'परिवर्तन रैली' निकाल चुकी तो महाराष्ट्र में उर्मिला मातोंडकर और कृपाशंकर सिंह ने इस्तीफ़ा देकर बता दिया कि किस तरह से कांग्रेस नेताओं की पूरी फ़ौज की भाजपा या अन्य पार्टियों में जाने की महारैली निकली है। झारखण्ड और पश्चिम बंगाल में पार्टी सांगठिक स्तर पर चरमराई हुई है। दिल्ली में इतने घमासान के बाद भी शीला दीक्षित का विकल्प नहीं खोजा जा सका है।

हम राजनीतिक टिप्पणीकार पिछले पाँच सालों से लगातार लिखते आ रहे हैं कि कांग्रेस का मुक़ाबला भाजपा से है। लेकिन लोकसभा चुनावों के बाद यह साबित हो गया कि फ़िलहाल कांग्रेस का मुक़ाबला ख़ुद से ही है। पिछले चुनावों में 52 सीटों पर सिमटी पार्टी के अध्यक्ष राहुल गाँधी कह रहे थे कि मुख्यमन्त्री अपने बेटों की जीत तय करने में जुटे रहे, प्रियंका गाँधी ने सरेआम आरोप लगाया कि रफाल से लेकर अन्य मुद्दों पर मेरा भाई अकेले लड़ता रहा, सबने उसे अकेला छोड़ दिया था। इस बार तो चुनावों के पहले ही दिख गया कि कांग्रेस के वरिष्ठ नेता ख़ुद और अपनी सन्तानों के सिवाय कुछ सोच ही नहीं सकते हैं। जिस पार्टी के युवा अध्यक्ष ने हार की ज़िम्मेदारी लेते हुए पद छोड़ दिया उस पार्टी के वरिष्ठ नेता सम्भावित पद के लिए पार्टी को छोड़ने और तोड़ने के लिए तैयार बैठे हैं। इस समय हम प्रियंका गाँधी की पीड़ा महसूस कर सकते हैं कि लोकसभा चुनाव में राहुल कितने अकेले थे।

आज हम हरियाणा के सन्दर्भ में देखें तो भाजपा ने विकल्पहीनता

की स्थिति पैदा कर दी है। जाट आधारित राजनीति से शुरू कर वंश की धुरी पर घूमने वाले कांग्रेस सहित अन्य राजनीतिक दलों का जनता से पूरी तरह सम्पर्क टूट चुका है। एक खानदान जेल में, दूसरा खानदान आधे इधर, आधे उधर, बाक़ी मेरे साथ वाली स्थिति में तो एक खानदान जनता नहीं पार्टी को ही अपनी शक्ति दिखा रहा है। हरियाणा के मैदान से कांग्रेस ने राजनीतिक चिन्तकों को सन्देश दिया है कि आगामी चुनावों में विकल्प नहीं विकल्पहीनता पर बात होगी।

14 सितम्बर 2019

एक–दूसरे की अखण्डता और सम्प्रभुता का सम्मान, अनाक्रमण, आन्तरिक मामलों में हस्तक्षेप नहीं करना, समान और परस्पकारी लाभकारी सम्बन्ध और शान्तिपूर्ण सह–अस्तित्व के पंचशील सिद्धान्तों के साथ हिन्दी चीनी भाई–भाई का नारा भी लगा और दोनों देशों के बीच युद्ध भी हुआ। अब युद्ध नहीं संवाद के साथ आर्थिक विकास के ढाँचे को ही सर्वमान्य माना जा रहा है। आक्रमण और अन्त तक लड़ेंगे जैसी भाषा बोलने वाले ख़ारिज हो रहे हैं। आज जापान और बांग्लादेश जैसे देशों का आर्थिक ढाँचा मिसाल बन रहा है जो समर नहीं संवाद के साथ आगे बढ़ रहे। भारत और चीन के बीच जो अनौपचारिक शिखर वार्ता शुरू हुई है उसके सकारात्मक बिन्दुओं को देखा जाये तो संवाद से बेहतर कोई स्थिति नहीं है। भौगोलिक समस्याएँ हों या व्यापारिक असमानता, सकारात्मक माहौल से ही हल निकल सकता है। भारत के प्राचीन ऐतिहासिक शहर में नयी दुनिया की दो ताक़तों की शुरू हुई बातचीत पर बेबाक बोल।

शीर्ष पर संवाद

पहली मुलाक़ात अहमदाबाद में साबरमती तट के किनारे और तस्वीरें दोनों नेताओं के साथ झूला झूलने की। गुजरात प्रधानमन्त्री का गृह प्रदेश है और चीन के राष्ट्रपति का दिल्ली दरबार से दूर वहाँ भव्य स्वागत किया गया था। राजधानी की परम्पराओं से हट कर नेताओं की मुलाक़ात को एक अनौपचारिक रुख़ देने की शुरुआत सुखद लगी होगी। इसलिए दूसरे पक्ष की अगवानी चीन की राजधानी बेजिंग में नहीं बल्कि शिआन में हुई। शिआन चीनी राष्ट्रपति शी जिनपिंग का गृह प्रदेश है। अब जब चीन के राष्ट्रपति 2018 में हुई वुहान की बैठक के बाद, दूसरी अनौपचारिक शीर्ष वार्ता के लिए भारत आ चुके हैं तो उसके लिए चुना गया दक्षिण भारत का प्राचीन ऐतिहासिक शहर मामल्लापुरम जो महाबलीपुरम के नाम से भी लोकप्रिय है। मामल्लापुरम का चीन के साथ प्राचीन रिश्ता रहा है। पल्लव वंश के शासकों का कारोबार चीन से था। अनौपचारिक बैठक की दूसरी कड़ी में प्राचीन रिश्तों की गन्ध को बिखेरने की कोशिश की गयी है। जब दो नेता वातानुकूलित कक्षों की बजाय प्राचीन मन्दिर की दीवारों पर समुद्र की लहरों के टकराने की आवाज़ सुनेंगे तो शायद मनोवैज्ञानिक प्रभाव कुछ और ही होगा। वैश्विक बाज़ार की कट्टर होती लड़ाई के बीच दो महाबलियों के संवाद के इस अन्दाज़ का अपना महत्त्व है।

वैश्विक नेताओं को दोस्ती के मंच पर लाने में प्रधानमन्त्री के पहले कार्यकाल का भी अहम योगदान रहा है। पिछले सालों में भारतीय नेतृत्व उन वैश्विक मंचों पर भी पहुँचा है जिसे कूटनीति के लहजे से उपेक्षित रखा गया था। एशिया की राजनीति में चीन, भारत और पाकिस्तान के रिश्तों के त्रिकोण पर सामरिक विशेषज्ञों की ख़ास निगाह रहती है। इस

लिहाज से भी दिल्ली के सियासी कोलाहल से दूर मामल्लापुरम की शान्ति अपना योगदान ज़रूर देगी।

पाकिस्तान के वज़ीर–ए–आज़म अन्तरराष्ट्रीय मंच पर कश्मीर के मुद्दे को लेकर रुसवा हो चुकने के बाद चीन की यात्रा पर पहुँचे। इमरान ने यह यात्रा शी जिनपिंग के भारत आगमन के पहले चुनी। इसके पहले चीन कश्मीर मुद्दे पर भारत के लिए चिन्ताएँ पेश करता रहा है। लेकिन जिनपिंग के भारत आगमन के पहले चीन ने कश्मीर मुद्दे को भारत–पाकिस्तान का द्विपक्षीय मसला क़रार दिया है। इसके साथ ही विजयदशमी के दिन भारत में चीन के राजदूत सुन वेइडॉन्ग का ट्वीट भी उल्लेखनीय है। उन्होंने कहा–भारत और चीन दोनों विकासशील देश हैं। दोनों ही उभरते हुए बड़े बाज़ार हैं। पिछले साल वुहान में भारत और चीन के बीच शुरू हुई बातचीत से रिश्तों को सकारात्मक गति मिली है। दोनों देश कई क्षेत्रों में आपसी सहयोग के साथ आगे बढ़ रहे हैं और मतभेदों को संवेदनशीलता के साथ सँभाल रहे हैं। अन्तरराष्ट्रीय स्तर पर बढ़ती अनिश्चितता के माहौल में भारत और चीन को अन्तरराष्ट्रीय और क्षेत्रीय मुद्दों पर आपसी सहयोग मज़बूत करना चाहिए। ठीक उसी तरह जैसे हमने कभी एक साथ पंचशील समझौते पर हस्ताक्षर किया था। वही पंचशील सिद्धान्त, जो अन्तरराष्ट्रीय सम्बन्धों का आधार बन चुका है।

भारत जिस तरह से अनुच्छेद 370 को अपना घरेलू मुद्दा बनाकर कड़ा रुख़ अपना चुका है उससे यह तो तय है कि ऐतिहासिक विरासतों और ताज़ा आर्थिक सम्बन्धों पर बात करने के दौरान इस मुद्दे पर परहेज ही रखा जायेगा। वैसे भी संयुक्त राष्ट्र में अपने भाषण के दौरान भारत के केन्द्रीय नेतृत्व पर निजी हमलों के कारण और कश्मीर को लेकर जेहादी जैसे भाषण और बार–बार परमाणु हथियारों की धमकी देकर इमरान ख़ान ने अपनी छवि एक खलनायक की बना डाली है। आज जब पाकिस्तान दिवालिया होने के कगार पर है तो उसके अगुआ का विश्व मंच पर कश्मीर के लिए प्रलाप असहज करने वाला ही है। ऐसे समय में भारत में कश्मीर पर शी जिनपिंग कोई असहज करने वाला पक्ष रखेंगे, इसकी उम्मीद बहुत कम ही है।

आज की दुनिया में सारे देशों ने अपनी सामरिक शक्ति में ज़बरदस्त

इजाफ़ा कर लिया है। सैन्य शक्ति के स्तर पर समृद्ध होने के अपने मायने हैं, लेकिन आज सामरिक शक्ति और आर्थिक समृद्धि में गहरा सम्बन्ध है। वो मध्यकालीन सामन्ती मानसिकता पीछे छोड़ दी गयी है जब हर देश आक्रमण, आक्रमण की बात करता रहता था। आज कुछ ही देश हैं जिन्होंने सामरिक आधार पर आर्थिक ताक़त बनाये रखने का उपक्रम जारी रखा है जिसमें अमेरिका अपना मज़बूत दखल रखता है। आज यही दखल उसके लिए समस्या भी है। चूँकि वह सामरिक तकनीक को बेचता है तो उसे इसके लिए बाज़ार भी खोजना होता है, जो बीसवीं सदी की अर्थव्यवस्था का अहम ढाँचा रहा है।

इसके साथ जापान और बांग्लादेश जैसे देश भी हैं जिन्होंने सामरिक शक्ति बनने से परहेज कर अर्थव्यवस्था का दूसरा ढाँचा अपनाया है। पाकिस्तान और बांग्लादेश भारत की ज़मीन से अलग हुए दो आज़ाद मुल्क़ हैं लेकिन आज भारत के साथ दोनों के रिश्ते अलग तरह के हैं। भारत के साथ सामरिक स्तर पर लड़ने के कारण आज पाकिस्तान बर्बादी के कगार पर पहुँच चुका है। दूसरी ओर बांग्लादेश जैसे छोटे देश ने युद्ध के बजाय संवाद के रिश्ते को अहमियत दी, सामरिक हैसियत के बजाय आर्थिक हैसियत को मज़बूत करने की कोशिश की। भारत और बांग्लादेश के बीच भी भौगोलिक और अन्य समस्याएँ हैं जिन्हें सैनिकों के बजाय संवादों से सुलझाने पर ज़ोर रहता है। इसी संवाद के सहारे बांग्लादेश अपनी अर्थव्यवस्था मज़बूत कर रहा है।

यहीं से सवाल आता है कि आज की तारीख़ में भारत और चीन के बीच रिश्ते का ढाँचा क्या हो? आज हम रफाल जैसे युद्धक विमान दूसरे देशों से ख़रीद कर अपनी सामरिक ज़रूरत पूरी कर रहे हैं, और कूटनीतिक स्तर पर संवाद के ही पैरोकार हैं, विश्व मंच पर हम युद्ध नहीं बुद्ध की बात करते हैं। आज चीन के राजदूत जब पंचशील सिद्धान्त की बात करते हैं तो यह हमारी एक बड़ी नैतिक जीत है जिसे उल्लेखित किया ही जाना चाहिए। चीन के राजदूत ने इशारा कर दिया है कि सामरिक और कूटनीतिक समस्या को पंचशील के आधार पर सुलझाकर आर्थिक ताक़तें बात कर सकती हैं।

आज वैश्विक बाज़ार का जो संकट है वह अमेरिका, चीन से लेकर

भारत के लिए अलग तरह का है। चीन और भारत के घरेलू हालात भी अलग हैं। चीन और भारत की साझेदारी में भारत को व्यापारिक घाटा ज़्यादा उठाना पड़ रहा है। इसलिए इस मुद्दे पर सकारात्मक ढंग से बातचीत की पूरी उम्मीद हम कर सकते हैं। भारत मोबाइल नेटवर्क का बहुत बड़ा बाज़ार है और अमेरिका चीन की कम्पनी हुवैई के जासूसी संयन्त्र को लेकर सतर्क कर चुका है तो उसे भी अपनी विश्वसनीयता बहाल करनी है। चीन जिस हिसाब से भारतीय उपभोक्ता बाज़ार का फ़ायदा उठा रहा है उसके सन्तुलन पर भी बहस की माँग है ही।

इन सबके बीच सबसे बड़ा सच यह है कि जब तक आप आर्थिक ताक़त नहीं हैं तो दुनिया में कूटनीति के खिलाड़ी नहीं बन सकते हैं। आज चीन पंचशील का सुझाव दे रहा है तो यह स्वागत भरा क़दम है। इसी के ज़रिये भारत और चीन की तरक़्क़ी ज़्यादा और दो महाबलियों की टकराहट कम हो सकती है। भारतीय पक्ष संयुक्त राष्ट्र में कह चुका है कि कूटनीति में शब्दों और भावों की अपनी अहमियत होती है। नस्लीय श्रेष्ठता, बन्दूक़ उठायें और अन्त तक लड़ने वाली मध्यकालीन भाषा की आज कोई जगह नहीं है। महाबलियों के मिलन स्थल मामल्लापुरम में भारत और चीन का अतीत व्यामोह रिश्तों का नया रेशमी रास्ता खोले इसी की उम्मीद की जानी चाहिए। अहम पड़ोसी देश के साथ संवाद के इस नये अध्याय का विश्लेषण तो लम्बे समय तक चलता ही रहेगा, फ़िलहाल इस सकारात्मक माहौल का स्वागत।

12 अक्टूबर 2019

हरियाणा और महाराष्ट्र, जहाँ विपक्ष जनता से दूर और अन्दरूनी कलह में मशगूल है वहाँ विधानसभा चुनावों में स्थानीय मुद्दे ग़ायब हैं और केन्द्र के हालिया लिए राजनीतिक फ़ैसले ही राष्ट्रीय मुद्दा बन वोट माँगने का आधार बन रहे हैं। कांग्रेस के नेता अशोक तंवर ऐन चुनावी समय में नवनिर्मित जननायक जनता पार्टी को समर्थन् दे रहे हैं। ऐसे माहौल में कोई आश्चर्य नहीं कि सत्ता पक्ष, विपक्ष को सज़ा देने की माँग करता है। भारत की राजनीति का यह अहम अध्याय है कि बेसाख विपक्ष के कारण सत्ता पक्ष ही एजेंडा बना और दोषी तय कर रहा। वहीं दिल्ली, जहाँ चुनाव अभी दूर है और भाजपा विपक्ष में है, स्थानीय मुद्दों पर पुरज़ोर बहस जारी है। वहाँ विपक्ष चुनाव जीतने की कोशिश में जुटा है। भाजपा दावा कर रही है कि वह सरकार बनाने और बाक़ी दल हैसियत बचाने के लिए मैदान में हैं। विपक्षी दलों की राजनीतिक काहिली ने जिस तरह लोकतन्त्र को एकतरफ़ा बना दिया है उसकी पड़ताल करता बेबाक बोल।

पक्ष ही विपक्ष

कथित बाबाओं के समर्थकों का शुरू किया हुआ फ़साद हो या जाट आरक्षण आन्दोलन के दौरान फैली अराजकता। बाबाओं के डेरों से श्रद्धालुओं के रूप में निकलते दंगाई और मारे गये लोगों का आँकड़ा। कारों की ख़रीद–बिक्री में सुस्ती और कई तरह के कारख़ानों में मन्दी के बाद हरियाणा के एनसीआर से जुड़े कई शहरों में बेरोज़गारी का आलम। हरियाणा में इन स्थानीय मुद्दों की कहीं गूँज नहीं है। नवनिर्मित जननायक जनता पार्टी के नेता दुष्यन्त चौटाला जब इन पर बात करने की कोशिश करते हैं तो उनके सामने अनुच्छेद 370 और कश्मीर का मसला उछाल दिया जाता है।

वहीं महाराष्ट्र में वीर सावरकर से लेकर तीन तलाक और 370 जैसे मज़बूत राजनीतिक फ़ैसले के मुद्दे छाये हुए हैं। दोनों राज्यों में विधानसभा चुनावों में केन्द्रीय मुद्दे हावी हैं। आख़िर स्थानीय मुद्दों की गूँज क्यों नहीं सुनाई दे रही?

स्थानीय मुद्दे जैसे कि बिजली, पानी, सड़क, सूखा–बाढ़, क़ानून व प्रशासन आम ज़िन्दगी से जुड़े हुए होते हैं। किसानों का सवाल, आदिवासियों का सवाल और इन सबसे जुड़ा रोज़ी–रोटी का सवाल। लोकतन्त्र में नाकामियों को उभारकर उस पर सवाल–जवाब करना विपक्ष का काम होता है। सत्ता पक्ष यह नहीं कहेगा कि देखो, हमारे शासन में एक कथित बाबा के समर्थकों के फैलाये दंगे में इतने लोग मारे गये तो आरक्षण जैसे मुद्दे पर एक ख़ास वर्ग ने पूरे राज्य की मशीनरी को बन्धक बना डाला था, और हमारी सत्ता मूकदर्शक बनी रही। हर सत्ता यह जानती है कि सामूहिक याद की उम्र बहुत छोटी होती है। जनता के सामने सत्ता के ख़िलाफ़ उन यादों का पिटारा खोलने वाला विपक्ष ही जब मैदान से ग़ायब हो तो वह करे भी तो क्या?

भारतीय राष्ट्रीय कांग्रेस ने देश पर लम्बे समय तक शासन तो किया लेकिन वह 2014 के बाद से अब तक विपक्ष की भूमिका निभाना नहीं सीख पायी है। 2014 के बाद शुरुआती समय तक तो कांग्रेसी नेतृत्व यही मानकर चलता रहा कि आने वाले चुनावों में जनता उसे महज़ इसलिए चुन लेगी क्योंकि वह वर्तमान सरकार से ख़ुश नहीं है। उसने अपनी वापसी के लिए जनता से जुड़ने की कोशिश ही नहीं की। मध्य प्रदेश और राजस्थान में उसे उस किसान आन्दोलन का फ़ायदा मिला जो जनवादी आन्दोलनों से जुड़े संगठनों ने शुरू किया था। इन दोनों राज्यों में मुख्यमन्त्री चुनने के लिए केन्द्रीय नेतृत्व को जो आन्तरिक युद्ध लड़ना पड़ा उससे साफ़ ज़ाहिर है कि पार्टी को जनता के बीच की पैठ का ख़याल ही नहीं है।

हरियाणा हो या महाराष्ट्र, दोनों राज्यों में सत्ता पक्ष के नेता दावा कर रहे कि वे विपक्ष को किसी गिनती में ही नहीं रख रहे। महाराष्ट्र में भाजपा को किसी की फ़िक्र है तो भी वह शिवसेना जैसे सहयोगी दलों की। विपक्ष के नेता तो अपने इस्तीफ़ों और दूसरी पार्टी में शामिल होने के कारण सुर्ख़ियाँ बन रहे हैं। कांग्रेस के नेता प्रेस सम्मेलन करते हैं तो यह बताने के लिए कि उन्होंने तो बस चार उम्मीदवार के नाम दिये थे और पार्टी ने उनमें से एक को भी टिकट नहीं दिया तो फिर क्या फ़ायदा ऐसी पार्टी में रहने का।

हरियाणा में लोकसभा चुनावों में जिस अशोक तंवर ने कांग्रेस के लिए सबसे ज़्यादा मेहनत की ऐन विधानसभा चुनावों के दौरान वो जननायक जनता पार्टी की पत्रकार वार्ता में दुष्यन्त चौटाला के साथ हताश और निराश बैठे थे। जिन तंवर को भाजपा सरकार के ख़िलाफ़ हमलावर होना था वो दिल्ली में अपनी ही पार्टी के मुख्यालय के बाहर समर्थकों के साथ प्रदर्शन कर रहे थे। हरियाणा से लेकर केन्द्र की राजनीति में कांग्रेस के कद्दावर नेता रणदीप सिंह सुरजेवाला भी इन दिनों प्रभाव के स्तर पर पर्दे के पीछे ही दिख रहे हैं। अध्यक्ष पद पर राहुल गाँधी के इस्तीफ़े के बाद परिवार से बाहर दूसरा अध्यक्ष नहीं मिलना भी पार्टी की सीमा बता रहा।

केन्द्र सरकार ने अपने ख़तरे उठाकर मज़बूत राजनीतिक फ़ैसले किये और अब वह राज्यों में इसका फ़ायदा उठा रही है। लेकिन कांग्रेस के नेता इन मज़बूत फ़ैसलों पर इतने कमज़ोर हैं कि अनुच्छेद 370 पर

हुड्डा का रुख़ अलग तो गुलाम नबी आज़ाद का रुख़ अलग रहता है। यही हाल जीएसटी से लेकर तीन तलाक तक के फ़ैसलों पर रहा। कांग्रेस नेताओं के सुर अलग–अलग रहे। कांग्रेस जब इस पर रुख़ ही नहीं तय कर पा रही है तो मुद्दा कैसे बना पायेगी।

हरियाणा, महाराष्ट्र के बाद दिल्ली में आम आदमी पार्टी और भारतीय जनता पार्टी ने युद्ध स्तर पर अपनी तैयारी शुरू कर दी है लेकिन कांग्रेस नेतृत्व दिल्ली में एक अदद प्रदेश अध्यक्ष भी नहीं दे सका है। इसके पहले भी बुजुर्ग शीला दीक्षित को प्रदेश की कमान सौंपी गयी। लेकिन कांग्रेसी नेता ही कहने लगे कि उन्हें राजनीति छोड़ देनी चाहिए। अब शीला दीक्षित के बेटे पत्र लिखकर कांग्रेस के एक वरिष्ठ नेता को उनकी मौत का ज़िम्मेदार ठहरा रहें हैं। कांग्रेस अध्यक्ष की दौड़ में कीर्ति आज़ाद का नाम भी सामने आया है। आज़ाद को पूर्वांचल के वोटों की ख़ातिर भाजपा प्रदेश अध्यक्ष मनोज तिवारी के बरअक्स लाने की कोशिश की जा रही है। लेकिन दिल्ली की जनता के बीच तिवारी और आज़ाद के ज़मीनी आधार में ज़मीन और आसमान का अन्तर है। तिवारी पिछले कई सालों से दिल्ली के लोगों के बीच अथक मेहनत कर रहे हैं। कीर्ति आज़ाद का नाम सामने आने के बाद कांग्रेस में वरिष्ठता की जंग भी छिड़ गयी है। देखते हैं कि कांग्रेस अपने अन्दरूनी कलह से निपटकर विधानसभा चुनाव में कब कूदती है।

हरियाणा और महाराष्ट्र के उलट दिल्ली में स्थानीय मुद्दे हावी हैं। अरविन्द केजरीवाल की सरकार के मुफ़्त बिजली–पानी और मेट्रो–बसों में सफ़र के ख़िलाफ़ आँकड़े जुटाये जा रहे हैं, पलटवार किया जा रहा है। दिल्ली में जबकि चुनाव थोड़े दूर हैं स्थानीय मुद्दों पर घमासान इसलिए मचा है क्योंकि यहाँ विपक्ष में भाजपा है। भाजपा अभी केन्द्र से लेकर ज़्यादातर जगहों की सत्ता में है, इसलिए उसके नेताओं और कार्यकर्ताओं में जीत की भूख है। जब विपक्ष में जीत की भूख होगी तभी वह सत्ता पक्ष के ख़िलाफ़ हमलावर होगा। अन्य राज्यों में विपक्ष जीत की उम्मीद खो चुका है। ऐसे माहौल में सत्ता पक्ष के नेता दावा कर रहे हैं कि भाजपा चुनाव जीतने और अन्य दल अपनी हैसियत बचाने के लिए मैदान में हैं।

जनता के मुद्दों को उठाने के लिए सड़कों पर आन्दोलन करना होता है। कांग्रेस के संगठन का ढाँचा ढह चुका है और वह चन्द नेताओं और

उनके समर्थकों की पार्टी बनकर रह गयी है। विकल्प का चेहरा बनने की राह में भी वह बेसाख हो चुकी है।

कांग्रेस और अन्य दलों के जनता से दूर होने का नतीजा है कि हरियाणा और महाराष्ट्र जैसे राज्यों में विपक्ष की भूमिका भी पक्ष ही निभा रहा है। एजेंडा भी वही तय कर रहा है और दोषी भी वही तय कर रहा है। विपक्ष की काहिली का इससे बड़ा सबूत और क्या होगा कि इन चुनावों में सत्ता पक्ष के द्वारा उसे ही सज़ा देने की बात हो रही है। स्थानीय असफलता, विधायकों और सांसदों की नाकामी को सत्ता पक्ष पीछे धकेलने का ही काम करेगा। कांग्रेस और अन्य विपक्षी दल अपने बीच बृहत्तर एकता ही नहीं बना पा रहे तो वे जनता के बीच कैसे स्वीकृत होंगे? देखना है, विपक्ष इस मरणासन्न अवस्था में कब तक रहता है।

19 अक्टूबर 2019

□□